外資系コンサル
の面接試験問題

過去問で鍛える地頭力

大石哲之

東洋経済新報社

まえがき

　マッキンゼー・アンド・カンパニーやボストン コンサルティング グループといった外資系の戦略コンサルティング会社では、**「ケース面接」**という方法を課して人材を採用しています。「ケース面接」では、決まった答えのない問いに対して、いかに論理的に、また多面的な見方で分析をして、示唆を述べることができるかが試されます。**大勢の応募者のなかから、きわめて少数の「地頭のいい人」を採用するために課している面接が「ケース面接」**です。

■ケース面接とはどういうものか？

　この本は、実際に外資系の戦略コンサルティング会社で出題されたケース面接の問題を20問収録し、それに対して現役の戦略コンサルタントが答えた模範解答を紹介しています。

　究極の採用面接試験であるケース面接のやり取りを疑似体験してもらうことで、論理思考、問題発見、構造化、定量分析、ラテラルシンキング、創造的発想など、これまでバラバラに学んできたと思われるビジネススキルをどのように統合していくかを体感してもらいます。いわゆる「地頭力」をどのように鍛え、使いこなしていったらいいかのヒントが得られるはずです。

　具体的には、次のような問題が面接官から問いかけられます。

　「次のオリンピックで、日本がメダルを増やすにはどうすればいいか？」

　「ある水族館の客が減ったのはなぜか？」

　「おしぼり会社の売上げを伸ばすには？」

候補者は、これらの問題に対して、10分間ないしは15分間のうちに、考えを整理し、情報を分析し、一貫性のある結論までを組み立てて、面接官にプレゼンする必要があります。
　どうすればこの面接を突破できるのでしょうか？
　たとえば、「次のオリンピックで、日本がメダルを増やすにはどうすればいいか？」という問いに対して、大多数の人はちょっと気の利いた面白そうな施策を考えて提示します。
「審判員を買収すればメダルは増える」
「野球のオリンピック種目復活運動をする」
といった答えをバラバラと答えます。
　実は、このように答えると即刻、「不合格」となります。
　いったい何がまずいのでしょうか？　合格する人はどういう答えを考えるのでしょうか？
　合格する人は、メダルを増やすための根本の法則について考察し、法則の組み合わせから競技を4分類し、競技の分類の1つ1つを考察しながら、それらの分類ごとに、効果の高い施策を考えていきます（具体的な解答例は本書に収録しています）。
　外資系戦略コンサルタントの採用では、候補者が何を知っているかではなく、何を考えることができるかにフォーカスし、その本質的な思考能力の有無によって、採用を決定しているのです。
　本書では、皆さんに「ケース面接」を疑似体験してもらうことで、個々に身につけてきたさまざまなビジネススキルを統合して発揮できるような頭の使いかたを学んでいただきます。
　外資系戦略コンサルティング会社へ就職・転職を考えている学生・社会人・MBAの皆さんには、面接試験対策問題集として、直接参考にしていただけます。転職を考えてはいないビジネスパーソンにとっても、戦略コンサルタントの思考プロセスを凝縮したこの

ケース問題を疑似体験していただくことによって、思考の次元をワンランクアップさせることができるのではないかと考えます。

■実際に出題された問題を収録

本書の特徴は2つあります。

1つは、「**実際に出題された外資系戦略コンサルティング会社の面接問題を収録している**」ことです。

2つ目は、「**現役の外資系戦略コンサルタントが答えた模範解答をつけている**」ことです。

本書には代表的な「ケース面接」の問題を20問収録してあります。

いずれの問題も、原則として[*1]外資系の戦略コンサルティング会社で実際に出題された問題をそのまま使っています。

20問の問題は、2つのカテゴリに分けました。

前半は、何らかの前提を置きながら未知の数字を見積もるケース問題です。別名で「フェルミ推定問題」と呼ばれているものです。これは新卒のコンサルタントを採用するときなどによく使われています。

後半は、何らかのビジネスシーンを想定して対応を考える系統の問題を収録しています。何を答えるべきかというレベルから自分で話を組み立てないといけません。こちらがケース面接の本丸といえましょう。皆さんの実力を試すチャレンジングな問題として取り組んでいただければと思います。

また、後半のいくつかの問題は、一般向けにアレンジしています。実際の面接では、特定のビジネスにフォーカスした出題（たとえば「アパレル業の製品ポートフォリオ」といった具体的なビジネステーマを使ったり、判断のための材料としてグラフや数字の財務データや市場データを示してそれを分析させたりする）もあります。

そのため、本書では、問題の本質を損なうことなく、誰もが知っていて一般常識で考えることのできるテーマにアレンジしています。

■現役コンサルタントが模範解答を示す

ずばり皆さんが知りたいのは、この20問に対して**「実際の外資系の戦略コンサルタントならどう考えるのか？」**ということに尽きると思います。ですから、模範解答については、まさにそのリクエストに答えました。

模範解答の作成にあたっては、（いくつかの定番問題を除き）筆者と外資系の戦略コンサルタントが実際にディスカッションを行い、そこでの思考過程や結論をほぼそのまま盛り込んでいます。

解説の記述においては、MECEやロジックツリーなどの手法の解説は省きました。それよりも重点を置いたのは、実際にコンサルタントがこれらの問題に対処したときの、思考の過程がそのままわかるような記述にすることです。

一部モノローグに近い書き方をすることで、コンサルタントがどういう思考過程で問題にアプローチしているかをワンステップずつていねいに理解できるように意図しました。そのため、あえて冗長と思われる思考過程でも省かずに記述してあります。

模範解答を読むことによって、コンサルタントの思考過程を「疑似体験」することができるように工夫しています。

■実際のトレーニング方法

20問のケース問題は、どの問題も独立していますので、興味をもった問題からチャレンジしてください。

実際の面接では10分間から15分間くらいで考えをまとめる瞬発力が必要ですが、トレーニングでは時間はたっぷりあります。30

分くらいの時間をとって、紙とペン（またはホワイトボード）で自分の考えを整理しながら、考えてみてください。

　本来ケース面接は１人で行うものですが、複数人でディスカッションしながら解答を考えてみてもよいでしょう。

　はっきりいって、簡単な問題は収録していません。また、ちょっとしたアイデアだけで突破できるような「とんち」系の問題はありません。正面から問題をとらえて、考えを整理して、頭の芯が痛くなるほど考え抜いて初めて解答が出てくるというものです。どこまで考え抜くことができるか、それが戦略コンサルタントに求められる１つの素養でもあります。

　最後に、模範解答のディスカッションにおつきあいくださった、外資系戦略コンサルタントのＩさんとＮさん、本当にありがとうございました。睡眠時間３時間が続くような激務の中、定期的にお時間を取っていただき、本当に感謝しています。

2009年６月

　　　　　　　　　　　　　　　　　　　　　大石哲之

＊１　採用試験情報の公開が本書の目的ではありませんので、原題の趣旨を保ちつつトレーニングに最適なテーマに多少の改変を施しています。
　　例）×××施設→水族館、旅館向け消耗品→おしぼり　等

目次 ◎ 過去問で鍛える地頭力

まえがき

PART 1　フェルミ推定系問題

13	Q1	日本の電球の市場規模はどのくらいでしょうか？
19	Q2	シカゴにピアノ調律師は何人くらいいますか？
27	Q3	日本に温泉旅館は何軒くらいありますか？
33	Q4	日本全国では犬は何匹くらいいるでしょうか？
43	Q5	羽田空港は1日に何人くらいの人が利用しているでしょうか？
51	Q6	レインボーブリッジを通る車の量は1日何台くらいでしょうか？
59	Q7	東京都内ではタクシーは何台あると考えられますか？
69	Q8	エアバスA380の重さはどのくらいでしょうか？
77	Q9	フィギュアスケートの観客にリンクの氷でカキ氷をつくって食べてもらおうという企画をしました。十分なカキ氷はつくれるでしょうか？
81	Q10	文字どおりの赤道直下には何人くらいの人が住んでいるでしょうか？

PART 2　ビジネスケース系問題

89	Q11	ロンドンオリンピックで日本のメダル数を増やすにはどうすればいいでしょうか？

101	Q12	羽田空港の利用者数を増やすにはどうすればいいでしょうか？
113	Q13	おしぼり会社の社長からおしぼりの売上げを伸ばしたいと相談されました。どのようにするのがいいでしょうか？
121	Q14	読売新聞の売上げを増やすためにはどうすればいいでしょうか？
137	Q15	JR新宿駅の改札口に設置されているコインロッカーの売上げを増やすための方策を考えてください。
145	Q16	ある地方にある水族館ではここ1年で客が25%も減ってしまいました。どのような原因が考えられるでしょうか？ また対策も併せて考えてください。
157	Q17	ある温泉地域の老舗旅館でこのところ宿泊客が減っています。どういう原因が考えられるか論理立てて整理をし、検証するために調べるべきことを簡単にリストアップしてください。
165	Q18	アメリカンエキスプレスはカード会社間の熾烈な競争にさらされています。思いきって年会費を1円にするというのは、よいアイデアでしょうか？
173	Q19	銀座で定食屋を開こうと考えている友人がいます。ビジネスをシミュレーションして収益予測をしてみてください。
183	Q20	マンホールの蓋はなぜ丸いのでしょうか？
192		さらに学びたい方へ

カバー・本文デザイン　石間　淳
本文DTP　アイランドコレクション

PART 1

フェルミ推定系問題

フェルミ推定問題とは、未知の数字を論理と常識をよりどころに推定する問題です。全体的な視点をもって、枝葉末節にとらわれず、本質的なメカニズムを論理立てて考える必要があります。いきなり結論を出そうとせず、いくつかの要素に分解して、それぞれを見積もり、掛け合わせたり足し合わせたりして、全体の数字にまとめ上げるのがコツです。コンサルタントの面接では、要素の分解の仕方のセンスや、論理展開の妥当性、頭の回転の速さなど、多面的に候補者を評価しています。

Q1.

日本の電球
（白熱灯、蛍光灯など）の
市場規模（金額）は
どのくらいでしょうか？

ただし家庭用のみとします。

....

HINT

①市場規模は、電球の消費数×電球の単価で推定できます。
②家庭において、電球はどこにあるでしょうか。電球の数は家の大きさ、部屋数などに関連してきます。
③消費数を求めるには、電球の寿命も関係してきます。

A1.

電球(白熱灯、蛍光灯など)の使用場所は、家庭、オフィス、公共の場所、スタジアムなどと多岐にわたりますが、今回は家庭用に絞って見積もることとします。家庭用の見積もりの考え方は、オフィスやその他の場所での見積もりにも応用できるはずです。

最初に考えなくてはいけないことは、全体の枠組みです。[消費される電球の数]×[単価]が市場規模になるのは明らかです。これは簡単です。

単価は推定するのが比較的簡単ですから、重要になってくるのは消費される電球の数のほうでしょう。これをまず考えます。

■消費される電球の数を考える

電球は家にあります。家の中でも部屋に設置するものですから、日本全国にある部屋の数を推測するのが、電球の数を推定するのには一番近いアプローチといえます。いきなり部屋の数はわかりません。まずは住宅の数を推定します。住宅の数もいきなりはわかりませんから、世帯数(人口)から推定します。**このようにして、数の見当がつくものまで分解して、常識的な推論を重ねて、最終的に求めたい数字を出していきます。**

日本の人口は約1億3000万人です。世帯数はどのくらいになるでしょうか?

日本の場合、単身世帯が多いのが特徴といえます。若い層の単身者が増えていますし、高年齢層でも単身世帯が増えています。ですから、1世帯あたりの人数が4人ということはないでしょう。一方、2人というのは少なすぎる気がします。3人、もしくはそれよりも

やや少ないと推定するのが妥当でしょう（実際は単身世帯がかなり増えていて2.5人となっています）。

1億3000万人÷1世帯あたり2.5人＝**5200万世帯（住宅）**

平均して2.5人の家族、世帯は単純に考えて、2DKの家に住んでいるとしましょう。

2DKの家には、どのくらいの電球があるでしょうか。

部屋やダイニングには平均して2本。キッチン、トイレ、浴室、洗面所、廊下などには1本と考えます。すると、部屋に6本、その他の場所で5本くらいでしょうか。ほかにも玄関や、アクセサリー的なものなど、補助的なライトはありそうですのでそれをまとめて2本相当と見積もります。全部で13本としましょう。

5200万（住宅）×13本（1住宅あたり）＝**6億7600万本**

多めに見て約6億8000万本です。

家庭全体での電球の数6億8000万本という数が推定できたので、それに電球の平均寿命を掛け合わせたものが全体の需要になります。

■電球の寿命

電球の寿命というのは、推定するのが難しいところがあります。白熱灯であれば寿命は短いですし、蛍光灯は比較的長命です。さらに寿命を延ばしたハイテク製品もあります。

白熱灯の寿命は2年、蛍光灯の寿命は3年としましょう。寿命は見当をつけることが難しい数字だといえますが、別の角度から検証することで極端にずれた数字を見積もってしまうことを避けます。

常識を頼りに蛍光灯の寿命を考えます。たとえば蛍光灯のパッケージに書かれている寿命の表示を、記憶を頼りに呼び起こします。100時間というオーダーでは、あっという間に寿命が尽きてしまいます。「寿命100時間」という宣伝はきいたことがありません。かといって、5万とか10万時間という単位も非現実的です。10万時間では、20年も保ってしまいます。これはあり得ません。

　その中間をとると、蛍光灯の寿命は数千からせいぜい1万時間のオーダーというのが常識的な観察でしょう。1日8時間使うとして、1万時間は、1250日。3年以上保ちます。通常は寿命の限界までは使わないでしょうから、3年で交換としても問題はないでしょう。

　白熱灯の寿命も考えます。白熱灯の寿命は蛍光灯の1/3とし、一方で白熱灯は常時点灯しているわけではなさそうなので、1日の使用時間を4時間（蛍光灯の半分）と想定します。すると約2年という数字になります。

　白熱灯と蛍光灯の比率ですが、環境保護の観点から消費電力の大きい白熱灯の生産はかなり減っているようですから、比率として、白熱灯は全体の1/4くらいとしましょう。

（蛍光灯）
　5億1000万本÷平均寿命3年＝**1億7000万本（年あたり）**

（白熱灯）
　1億7000万本÷平均寿命2年＝**8500万本（年あたり）**

　最後は平均の単価です。蛍光灯は1本で500円程度、白熱灯はずっと安くて約半額でしょうか。

図1-1-1　日本の電球の市場規模はどのくらいか？

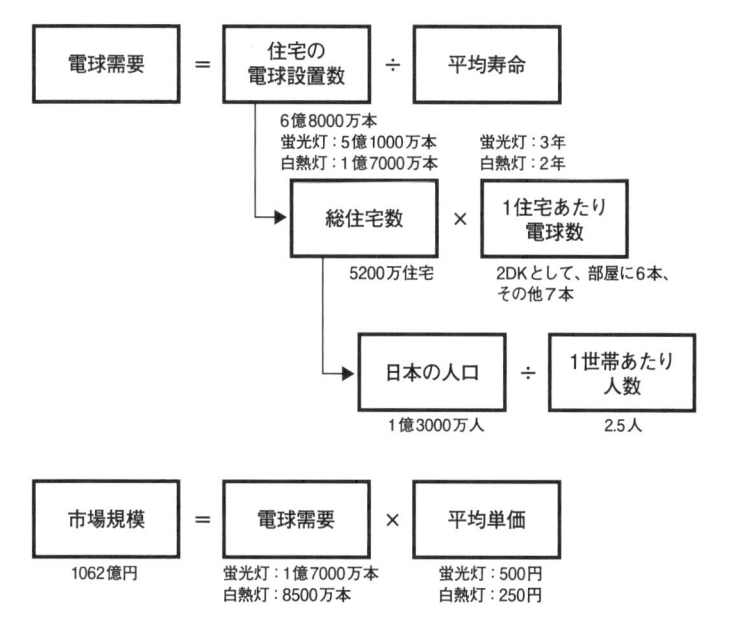

```
┌─────────┐   ┌─────────┐   ┌─────────┐
│ 電球需要 │ = │ 住宅の  │ ÷ │ 平均寿命 │
│         │   │電球設置数│   │         │
└─────────┘   └─────────┘   └─────────┘
                6億8000万本      蛍光灯：3年
              蛍光灯：5億1000万本  白熱灯：2年
              白熱灯：1億7000万本
                    ↓
              ┌─────────┐   ┌─────────┐
              │ 総住宅数 │ × │1住宅あたり│
              │         │   │ 電球数   │
              └─────────┘   └─────────┘
                5200万住宅    2DKとして、部屋に6本、
                              その他7本
                    ↓
              ┌─────────┐   ┌─────────┐
              │日本の人口│ ÷ │1世帯あたり│
              │         │   │ 人数    │
              └─────────┘   └─────────┘
               1億3000万人      2.5人

┌─────────┐   ┌─────────┐   ┌─────────┐
│ 市場規模 │ = │ 電球需要 │ × │ 平均単価 │
└─────────┘   └─────────┘   └─────────┘
  1062億円    蛍光灯：1億7000万本  蛍光灯：500円
              白熱灯：8500万本    白熱灯：250円
```

（蛍光灯）

　1億7000万本（年）× 500円 = **850億円**

（白熱灯）

　8500万本（年）× 250円 = **212億円**

　合計　1062億円が答えになります。

■ **実際の答え**

　実際に電球市場の市場統計を調べてみました。矢野経済研究所の「2005年版 照明市場の展望と事業戦略」によれば、2004年の推計によると照明器具と電球類をあわせた市場全体が8566億円。このうち、電球類が3125億円です。そのうちの33％が家庭需要とありますので、3125億円×33％＝約1000億円。

　フェルミ推定で行った1062億円という数字は、実際とくらべてもなかなかよい推定であったといえそうです。

02

シカゴに
ピアノ調律師は
何人くらいいますか？

HINT

①ピアノは主に家庭にあるものとして推定してみましょう。
②調律の需要と、調律師の供給の両面から考えてください。ピアノはどのくらいの頻度で調律する必要があるでしょうか？ 調律師は1人で1日あたり、あるいは1年間にどのくらいの回数の調律ができるでしょうか？
③シカゴの人口は、ざっくりとした推定でかまいません。わからないならば、300万人と仮定して計算してみてください。

A2

　この「シカゴのピアノ調律師」、フェルミ推定の代表的な問題として、いまや非常に有名になったといってもいいでしょう。解法や考え方を知っている人も多いかと思いますが、あえてとりあげました。**というのもフェルミ推定の基本的なパターンがこの問題には凝縮されているからです。**改めてこの良問に答える際の思考のプロセスを追いながら、推定のポイントについて解説していくことにします。

　この問題は「シカゴ」というところで面食らう人もいるようです。「東京ならばわかるけれど、シカゴじゃ見当もつかない」という感想を漏らす人もいます。とはいえ、シカゴであろうが東京であろうが、シドニーであろうが、ジャカルタであろうが、この問題へのアプローチは同じです。

　数を見積もるときの基礎になる人口やピアノの保有率といった数字は、国や都市によって違ってくるかもしれませんが、推定のための基本的なモデルは、世界のどこであっても一緒です。フェルミ推定でもっとも重要なことは、都市名のような惑わされやすい要素にとらわれることなく、**大局的な視点で物事の本質を見ることができるかどうか、**という点に尽きるでしょう。

　この問題の最初のポイントは、次のようなモデルを考えることです。

需要量＝供給量

　需要というのは、ピアノの調律需要です。「シカゴでいったいどのくらいのピアノの調律需要があるのか？」という数字です。

供給量というのは、まさにピアノ調律師の数です。シカゴには、その地域のピアノ調律需要を満たすに十分な調律師がいるはずだ、と考えよということです。
　需要と供給のバランスがとれている状態であると考えれば、次の推定ができます。

　　ピアノ調律師の数＝シカゴにおけるピアノ調律需要（年）
　　　　　　　　　　÷調律師1人が調律できる件数（年）

　これが基本的な式になります。**フェルミ推定では一発で数を算出しようとしてはいけません。**一発で数が出せる問題は推定問題としては簡単すぎるため普通は使われません。推定をするために何段階かの推論の積み重ねが必要です。また細部まで整った完璧な推定式をいきなり作ることも難しいでしょう。ですから、最初に、その問題のキーとなる考え方を式にした〈基本式〉を考えることが重要だといえます。
　この需要と供給が一致するという考え方は、基本式として多くのフェルミ推定問題で応用が効くパターンです。この問題を通してぜひ身につけておきたいところです。
　さて、基本となる式ができたらば、それぞれの項目を推定していきましょう。

■ピアノ調律需要を分解する

　ピアノ調律需要も、いきなり答えは出ません。これもさらに細かい推定式に分解していく必要があります。
　ピアノ調律需要を把握するためには、まずはピアノの台数を考えなければいけません。ピアノ台数というのは、多くが家庭に存在す

ると考えれば、世帯の数にピアノ保有率をかけたものから算出できそうです。世帯の数は、都市の人口から推定できます。

　ピアノ調律需要→ピアノ台数→世帯の数→人口

　このように、算出したいものをゴールにして、それを逆にたどる方法で考えると、スムーズに論理ができていきます。どんどんと簡単に推定できるものに還元していくのです。
　さて、実際に推定をしてみましょう。

■シカゴの人口と世帯数

　まずシカゴの人口を推定してみます。シカゴは全米でも大きな都市です。全米トップ10の都市に入ると考えてもいいでしょう（実際には全米で第3位の大都市です）。アメリカは各都市にかなり人口が分散しています。大都市といっても東京のように密集してはいないでしょう。仮に人口を300万人とおきます。
　ここで、戸惑ってしまう人がいます。シカゴの人口が推定できなければ完全に思考が止まってしまう、という人です。
　私が、「仮に」として、シカゴの人口をさらりと300万人というと「なぜそんなことがわかるのか？　知識がなければできないし、おかしな問題だ」という人もいます。
　フェルミ推定は思考の過程や論理思考力を鍛えるための問題とすれば、シカゴの人口が何人であろうと、実はどうでもいいのです。ここで600万人としても問題はありません。シカゴの人口をその場で多少ずれた値に見積もっていたとしても、後から実際の数字がわかれば正確なものに置き換えればよいだけです。**大事なのは推定のためにどういう推定式を使うか、という論理のほうです。**

（シカゴは、さすがに東京より大きな都市ではないだろうという推論を使うこともできます。そうとすれば最大1000万人くらいとしてもいいわけです。実際の300万人との誤差は3倍ですが、桁がずれるほどの致命的な誤差ではありません。）

では、シカゴの人口を300万人として話を進めましょう。

人口をもとに世帯数を算出します。1世帯あたりの人数が3人（アメリカは日本よりも1世帯あたりの人数が多い）とすると、100万世帯と算出できます。

■ピアノの数を推定する

100万世帯の、すべての家庭にピアノがあるわけではありません。単身の人はピアノはあまり持っていなさそうですし、ピアノが家にあるような家は、子供がいて、それなりの暮らしをしている家庭に限られるでしょう。

ここでは半数の世帯がピアノを保有している可能性がありそうなファミリーであると考えます。つまり50万世帯です。

実際には、その中でも10世帯に1台くらいがピアノを保有していると考えます。保有率10％です。それなりの暮らしの家庭がすべてピアノを持っているわけではないですし、かといってピアノは100世帯や200世帯に1台というほど珍しいものでもありません。10％という保有率はおかしくはないでしょう。

求めたいピアノ台数は、以下のようになります。

100万世帯×50％（ほどほどの富裕層）×10％（保有率）= **5万台**

■ピアノ調律需要を推定する

シカゴにピアノが5万台あるとして、1年間にどのくらいの調律需要が発生するでしょうか？

ピアノはそう頻繁には調律をしません。年に1回くらいと考えても妥当でしょう。すると、年間の調律需要は、1年に5万件と推定できます。

ここまでくれば、調律師の数まであと一歩です。1年に5万件の調律をするには、何人の調律師が必要になってくるでしょうか？

■調律師1人が調律できる回数は？

ピアノ調律師は、1日にどのくらいの調律ができそうでしょうか？

ピアノは家庭にあって動かせないものですから、調律の際には調律師が家庭を訪問して調律することになります。

ピアノの調律は各家庭を訪問して行います。同じような訪問型の営業職の働き方から想像すると、1日5件の訪問は相当にきつそうです。1日2件では少ない。

ピアノの調律自体は1時間ほどで可能かもしれませんが、移動時間やその他の時間もかかります。アメリカのように車で移動し、家と家との距離が離れている社会ということになると、午前に1件、午後に2件、1日3件くらいというのが妥当かもしれません。

ピアノ調律師の年間の勤務日数を200日とすると、

1日3件×年間200日＝**600件/年**の調律が可能

あとは、基本式に当てはめて最終的な数を算出します。

図1-2-1 シカゴにピアノ調律師は何人いるか？

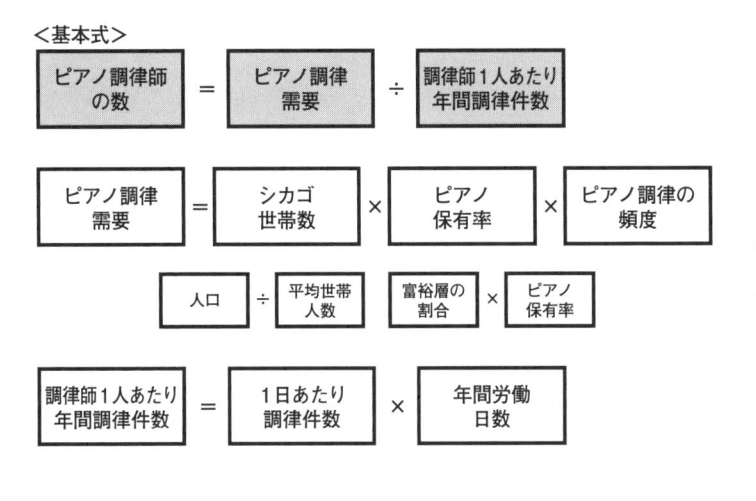

<基本式>

```
ピアノ調律師     ピアノ調律     調律師1人あたり
   の数      =    需要     ÷  年間調律件数

ピアノ調律          シカゴ           ピアノ          ピアノ調律の
   需要     =     世帯数    ×    保有率     ×     頻度

              人口 ÷ 平均世帯    富裕層の  ×  ピアノ
                    人数       割合       保有率

調律師1人あたり        1日あたり             年間労働
 年間調律件数    =     調律件数      ×       日数
```

シカゴにおけるピアノ調律需要（5万件/年）
　÷調律師1人あたりが調律できる回数（600件/年）
　　= 83.3333 ≒ 83人

という推定となりました。

■ 検証する

検証の方法としては、**人口でこの数字を割ってみる**のが簡単でしょう。そうすると約3万6000人に1人の割合でピアノ調律師が存在するということになります。確かにピアノ調律師はそのくらい珍しい職業といえます。これが100人、200人に1人ということになると、たとえば警察官くらいの、それほど珍しくはない職業になってしまいますからおかしいと気づくはずです。

フェルミ推定を行う際には、最後に簡単な方法でよいので検証をすべきです。検証は、桁がずれていないか、というくらいのものでかまいません。明らかにおかしい推定を防ぐための検証だからです。

　検証の結果、明らかにおかしいとなれば、推定のどこかの数字にミスがあるということです。シカゴのピアノ調律師の推定の場合、大きく桁がずれそうなのはどこでしょうか？　ピアノ保有率は2倍くらいのブレがあるかもしれません。調律頻度は多少のブレがあるかもしれません。そのようにブレの原因となるところがどこかを検証して、モデルを修正していくことが大事です。

　実際の面接では「では、その数字を検証してみて？」という突っ込みが入ることが多くあります。その際には、上記のようなポイントから自己検証し、モデルの確からしさや、「数字がずれるとすればどの前提を疑うか？」といったことを見極めていくような解答が必要とされます。

03

日本に
温泉旅館は
何軒くらいありますか?

....

HINT

①シカゴのピアノ調律師と同様の考え方が適用できます。
　つまり、需要=供給がバランスしているというモデルです。
②推定の展開の方向を見極めましょう。そのためにはベースをどれ
　にするかで方向性が違ってきます。この場合、「人口」「面積」「年収」
　「時間」といった要素のうち、どれをキーとなるベースにしますか？

A3

　この問題は、「Q2. シカゴにピアノ調律師は何人くらいいますか？」のときに使った基本パターンが応用できます。つまり需要＝供給がバランスしているというものです。
　基本式は以下のようになります。

　　温泉旅館の数＝温泉旅行需要÷温泉旅館あたり宿泊可能数

　ピアノ調律師の問題とほぼ同様の考え方でいけます。ピアノ調律師の場合は、調律の総需要件数を算出して、調律師1人あたりが調律できる件数で割り算をしました。
　温泉旅館の場合も同様の考え方をします。この考え方を一般的に表すと、以下になります。

　　総数＝総需要÷1（人、台、棟、時間…）あたりの供給数

　これは基本式として多くのフェルミ推定問題に応用可能です。
　「ピアノ調律師」「温泉旅館」という字面にとらわれず、**背景にある論理を大局的にとらえる**ことができれば、応用が効く問題であるとわかるでしょう。
　では、続いて各要素の数字を推定してみましょう。

■温泉旅行需要

　温泉旅行需要を求めるには、「1人あたり年間にどのくらい温泉にいくか？」ということからアプローチするのがよさそうです。
　シカゴのピアノ調律師の問題では、ピアノの台数（＝調律需要）

を人口を手がかりにして算出していきましたが、この温泉旅行需要の場合も、あきらかにキーになるのは人口です。

　　人口×(そのうちの温泉旅行ができる人)×年間旅行頻度

という具合に、人口をベースに見積もっていくのです。
　フェルミ推定が上手になるには、このようにベースとなるもの(この場合は人口)をいち早く見抜くことです。
　これは人口あたりをベースとする推定なのか？
　それとも面積あたりをベースとする推定なのか？
　はたまた時間あたりか？
　「ベースとなるものは何か？」を見抜くことが大事です。
　温泉旅行需要の場合、人口をベースに考えるのが適切です。
　日本の人口は約1億3000万人です。この中で、ごく小さな子供や、病気の人、そもそも旅行をしないような人、経済的に余裕がない人を除いて、ほとんどの人は温泉旅行ができるとします。ここでは仮に1億人が温泉旅行をする対象者というように考えます（対象を1億3000万人すべてとしてもおかしくはないでしょう。差は30％です。30％の誤差はフェルミ推定にとって問題ではありません。どう考えたかの論理のほうが重要です）。さて、1億人がどのくらいの頻度で温泉旅行に出かけるかということを考えると、平均して年に1回程度でしょうか。日本人はきわめて温泉好きといえます。「どんなに忙しくても年に1回くらいは温泉旅行にいきたい」という人が多いでしょう。

温泉旅行需要＝温泉旅行対象者1億人×年1回

＝**1億泊（年）**の需要があるということがいえそうです。

■ 1軒あたり宿泊可能数

次に温泉旅館が、1軒あたりどのくらいの宿泊をまかなえるかを推定しましょう。

温泉旅館といっても、100室もあるようなホテル並みの施設から、家族経営のような、こぢんまりとした旅館まであります。

温泉旅館全体ではどちらが多いでしょうか？ 小規模の旅館のほうが圧倒的に多いはずです。比率を1：10としましょう。100室の大旅館1軒に対して、10室くらいの小旅館が10軒です。

[(100室×1軒)＋(10室×10軒)]÷11 = 18.1818…

平均すると、1軒あたりが18部屋になります。ちょっと多い気もしますが、桁が大幅にずれているということはないでしょう。計算しやすいよう1軒あたり20部屋とします。

一室は2人で使うものとして、1軒あたり、18室×2人で、36人が泊まることができます。

温泉旅館の数＝1億泊（年）÷（1軒あたり1日36人×365日）
　　　　　　＝**7610施設**

7610の施設があれば、年間の需要を満たすことができると推定できそうです。ただし、これは温泉旅館が常に満員という場合の推定です。そんなことは常識的にありえません。

図1-3-1　日本に温泉旅館は何軒くらいあるか?

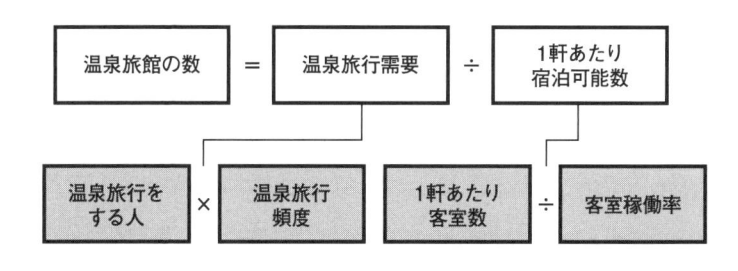

```
┌─────────────┐   ┌─────────────┐   ┌─────────────┐
│ 温泉旅館の数 │ = │ 温泉旅行需要 │ ÷ │  1軒あたり  │
│             │   │             │   │ 宿泊可能数  │
└─────────────┘   └──────┬──────┘   └──────┬──────┘
                         │                  │
          ┌──────────┬───┴──┬──────┐  ┌────┴────┬──────────┐
          │ 温泉旅行を│ × │温泉旅行│  │1軒あたり │ ÷ │客室稼働率│
          │  する人  │   │ 頻度  │  │ 客室数  │   │         │
          └──────────┘   └──────┘  └─────────┘   └──────────┘
```

そこで客室の**稼働率**を計算に入れてみます。昨今は寂しい温泉宿も多く、空室が目立っているようです。ざっと考えて、稼働率を60%ということにしました。

すると、

7610÷0.6=12683。

およそ**1万2700施設**という答えになります。

■ 検証する

ちなみに温泉宿の統計は存在しました。「平成18年度温泉利用状況（環境省）」によると全国における温泉利用の**宿泊施設は1万5024施設**とあります。

誤差を計算すると、15024÷12700=1.182。

約18%です。

となると、需要の見積もりの中で温泉旅行に行く対象は1億人ではなく、もう少し多く1億2000万人くらいであったとすると、まさに合致する数字になります。

施設の供給のほうに誤差があったとすると、1軒あたりの客室数が少し多いような気もします。18室ではなく15室で計算しなおすと、1万5220施設となり、実際の数字とわずか1％の誤差です。

　あとは稼働率でしょうか。60％というのは意外といい稼働率のようでもあります。平日はほとんどガラガラの温泉街が多いようですから、50％くらいとしてもいいかもしれません。50％の前提で計算しなおすと、1万5220施設となります。いずれにしても、非常によい推定であると評価できるでしょう。

　実際の統計とつき合わせての評価では、全体の数字があっていたあっていなかった、ということに一喜一憂してもあまり意味がありません。**上記のようにパラメーターごとに振り返ることで、誤差の原因を深掘りし、モデルの確からしさを検証する論理性が必要です。**

Q4

日本全国では犬は何匹くらいいるでしょうか？

....

HINT

① ペットの犬を考えたとき、3軒に1匹といった推定ではなく、もう少し深い論理を作って考えてみましょう。たとえば、ある家庭で犬を飼うにはどういう条件が必要でしょうか？　日本の家庭は5000万世帯として、犬を飼うための条件をいくつか設定して、数字をおいて計算してみましょう。
② 犬の供給（ペットショップ）についても考えてみてください。
③ 野良犬や、捨て犬といった、細かい数字は思い切って無視してかまいません。大きな数字にフォーカスすることが大事です。
④ 余裕がある場合は、犬関連マーケット全体の市場規模を見積もってみてください。

A4

　日本国内の犬の数を推定します。はじめに、犬がどこにいるのかということを洗い出してみることにします。もちろん犬は家庭でペットとして飼われていることがほとんどだと思いますが、それ以外にも犬の居場所はあるような気がするからです。

　犬の主な居場所としては、まず家庭のペット、次に、野良犬、捨て犬（保健所）、ペットショップにもいます。このくらいでしょうか。このうち、推定するに値するものを挙げていきます。

　家庭のペットは一番数が多いでしょうから必須です。

　野良犬はどうでしょうか。すでに日本に野良犬はいないかと思います。保健所に捕まえられてしまうからです。

　次は、捨て犬（保健所）です。捨て犬は、保健所に一定期間保管されますが、悲しいことにすぐに処分されてしまうと思うので、ここでは推定の対象から外しましょう。

　最後にペットショップに存在する犬です。家庭のペットは大部分がペットショップからの購入と思われますので、無視できない数がありそうです。

　結論として、家庭の**ペットとしての犬**と、**ペットショップにいる犬**の2つをカウントするという方向性でいきましょう。

■家庭の飼い犬の数を推定する

　家庭で飼われている犬の数をまずは推定します。基本となる論理を考えます。家庭にいる犬ということですから、世帯の数がベースになるのは明らかです。日本にはおよそ5000万世帯が存在しますが、そのうち何パーセントが犬を飼っているか、ということです。

　基本の推定式が［世帯数］×［犬の保有率］というきわめて単純

なものですので、こと保有率に関しては、少し精緻な推論が必要でしょう。なんとなく保有率は10パーセントというようなやり方では、少し大雑把すぎる気がしますし、1分で推定できてしまいます。

保有率のところに、何らかの論理をつくって、合理的な推論を展開することにしましょう。

■犬を飼うための条件に注目する

注目したいのは、犬を飼うには、ある程度の条件が必要だということです。

犬を飼うことができる主要な条件を考察します。
①世話から来る条件
②住居の規制から来る条件
③経済的な条件

多くの条件がありますが、犬の保有率に関係する条件として最重要なものは、この3つと考えられます。

①世話から来る条件

まず犬を飼うには誰か世話をする人がいるのが原則です。単身で日中に外で仕事をしている人は、犬を家に放置したまま出かけるわけにはいきません。原則、誰かが面倒をみているか、もしくは引退して仕事をしていない人か、ということになります。

この条件を当てはめると、全世帯のうち、家族がいる世帯か、単身世帯でも60歳以上の世帯が犬を飼うということになるでしょう。

②住居の規制から来る条件

次に、住居の規制から来る条件があります。マンション住まいの人は飼いたくても飼えない場合があると考えられます。住まいを一

戸建てと、マンションに分けて、マンション居住の人はある程度は
この規制を受けると考えましょう。

③経済的な条件

最後は経済的な条件です。ペットを飼うにもお金がかかります。
ある程度の出費をまかなえる人でなければ飼うことができないで
しょう。

　この3つの条件をクリアできる人は、犬を飼おうと思えば飼える
人だといえます。これを**「ペット飼育可能な世帯」**とでも呼びま
しょうか。
　実際には、もちろん猫も飼えますし、なにも飼わないということ
も考えられますので、「ペット飼育可能な世帯」の中から、犬を選
ぶ割合を掛けたものが、実際の犬の数ということになります。

　ロジックの大筋は以上のようなものです。ペット飼育可能な家庭
であるためには3つの条件をクリアする必要があると仮定し、その
うち一定数が犬を飼うだろうというものです。

ではこのロジックにしたがって、実際の推定を行ってみましょう。

■ペット飼育可能な世帯を割り出す

　まずは、全体の母数となるペット飼育可能な世帯の数を割り出し
て見ましょう。これには3つの条件があるといいました。
　まずは①の世話から来る条件からいきます。

①ペットの世話から来る条件

世話から来る条件は、ペットの面倒をみる人がいないとペットは飼えないでしょうという論拠にたっています。ペットを飼うことができそうなのは、世話する人がいる2人以上の世帯と、単身の世帯でも、すでに引退していて仕事に行く必要がない世帯ということにしましょう。

まずは4900万世帯を2人以上の世帯と単身世帯に分けます。実際の統計（平成17年国勢調査）を見ると、2人以上世帯は約3450万世帯、単身世帯は約1450万世帯です。

これがわからないときは一定のロジックを立てます。2人以上世帯はx世帯あって平均の人数が3.5人、単身はy世帯あって各世帯1人として次の方程式が成り立ちます。

$x + y = 5000万$
$3.5x + y = 1億3000万$

$x = 3200万$

約3200万

実統計に近いといえる結果になりました。わからない数字でも基本的な論理を組み立てて計算すれば、わかるという好例です。

2人以上の世帯は3450万で、これはすべてペット飼育可能世帯としましょう。

単身1450万世帯では、すでにリタイアした人を60〜80歳として各世代平均的に人がいると仮定すると、約4分の1の363万世帯がペット飼育可能世帯です。

合計すると、3813万世帯がペット飼育可能世帯です。

②住居の規制から来る条件

住居の規制では、マンションに住む人のうち、半分くらいはペットを飼いたくても飼えないということを反映したものです。

仮に全世帯の50％がマンションに住んでいて、そのうちの50％にペット規制があるとしましょう。

すると、①の条件をクリアした3813万世帯のうち25％がアウトとなりますから、②の条件を加味したのちでは、2860万世帯となります。

③最後に経済的条件を加味する

ペットを飼う費用はどのくらいかかるのでしょうか。私はペットを飼ったことがないのですが、普通に考えてみると、食費が主な費用とすれば、ペットフードが1食100円。3食で300円、月に1万円くらいの負担でしょうか。月1万円の出費が難しい世帯というのは、極端に多くはないとは思いますが、一定数はあるはずです。たとえば失業している世帯は難しいでしょう。失業率5％として、その世帯は経済的に難しいとしましょう。その他、経済的に困窮している世帯が同数あるとして、10％が、ペットを飼う経済状況にないと勘案します。

すると2860万世帯のうち10％がアウトで、2574万世帯がペット飼育可能となります。

■ペット飼育可能世帯のうち犬を飼う割合

ここまでで、全世帯のうち、2574万世帯は、飼おうと思えば犬を飼うことができる世帯だといえます。では実際に2574万のペット飼育可能な世帯のうち、どのくらいが犬を飼うのでしょうか。

論理を組み立てるのは多少むずかしいですが、3割の人はペット

をそもそも飼わない、残りの7割の人が、犬か猫を飼うとして、犬のシェアが70％という想定にしてみましょう。70％×70％＝49％。

つまり、ペット飼育可能な世帯の約半分が犬を実際に飼っているとします。すると、約1287万世帯が犬を飼っているという計算になります。

■実際に犬は何匹か？

ほとんどの家庭では、犬は1匹飼うのが普通でしょう。ただし、中には複数飼っているところもあります。ここでは5世帯に1世帯が2匹の犬を飼っていると想定すると、全体では、世帯数の1.2倍の犬がいることになります。

1287万世帯×1.2＝1544万匹

以上の推論で、家庭における犬の数は、1544万匹という推定ができました。

全世帯4900万のうち、31％です。だいたい3世帯に1世帯は犬を飼っているという数字です。知り合いを10人想像してみると、だいたい3人に1人は犬を飼っていそうですから、それほどずれた数字ではないかと思います。

■ペットショップの犬を数える

次に、ペットショップにいる犬を数えましょう。これには在庫の考え方を使います。生き物を在庫と表現するのには違和感がありますが、論理的には在庫の考えを使えばわかりやすい議論になります。

前段までで家庭で飼われている犬は、1544万匹の犬と推定しま

した。犬には、寿命があります。犬の平均寿命は10年くらいでしょうか。そうすると、10%、つまり、154万匹が毎年死んでしまうという計算になります。この154万匹が毎年何らかの形で家庭に補充されるというモデルを考えてみましょう。

　新しい犬の供給元としては、生まれた子犬をもらって育てるというケースと、ペットショップから購入するという2つの場合があります。約50%がペットショップによるものと想定してみましょう。

　ペットショップが毎年77万匹（154万匹の50%）の犬を供給するためには、ペットショップの店頭には常時何匹の犬がいる必要があるでしょうか？

　犬を店頭に並べてから、買い手がつくまでの期間を平均2カ月とすると、1年間で6回転します。77万匹の犬を供給するには、6で割って、12.8万匹の犬が店頭に並んでいればOKということになります。

　この数は適正でしょうか？　1店あたり10匹の犬を並べているとして、12.8万匹の犬を前提とすれば、全国にペットショップは、1万2800店ないといけない計算になります。そんなにおかしい数字ではなさそうです。

　ペットショップの犬については、計算してみると、非常に小さな数字になりました。家庭の犬1544万匹に対して、わずか12.8万匹でした。

　念のため、これを合計して、答えとします。

　答え：日本にいる犬は、1557万匹。

図1-4-1 日本に犬は何匹くらいいるか？

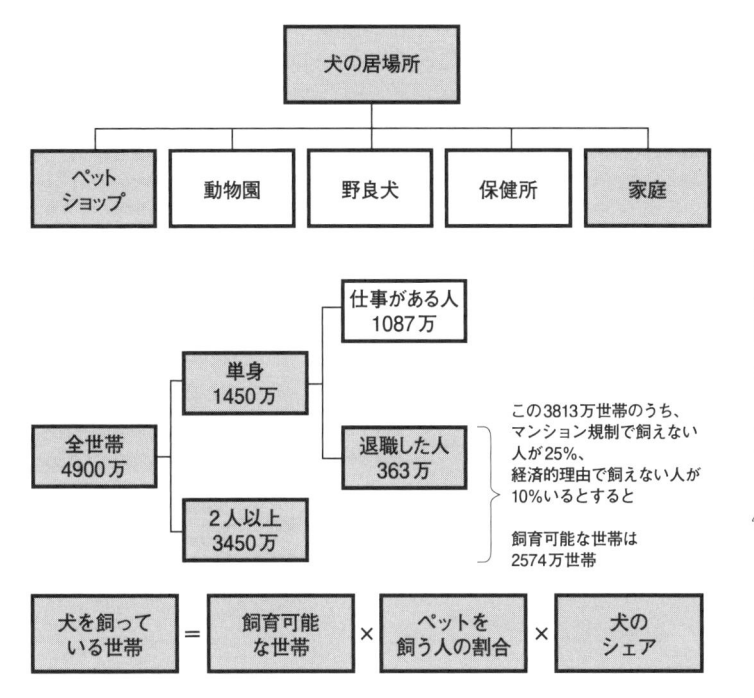

```
                        犬の居場所
    ┌──────────┬──────────┼──────────┬──────────┐
 ペット      動物園      野良犬      保健所      家庭
 ショップ
```

```
                    ┌─ 仕事がある人
                    │   1087万
         ┌─ 単身 ──┤
         │  1450万 │
         │        └─ 退職した人
全世帯 ──┤            363万
4900万   │
         └─ 2人以上
            3450万
```

この3813万世帯のうち、マンション規制で飼えない人が25%、経済的理由で飼えない人が10%いるとすると

飼育可能な世帯は2574万世帯

犬を飼っている世帯 ＝ 飼育可能な世帯 × ペットを飼う人の割合 × 犬のシェア

■実際の統計

 イギリスのユーロモニター社が発表した市場調査によると、2006年の日本国内の犬の数は、1310万匹であるという数字が出ています。これは家庭のペットとしての犬の数で、ペットショップの犬は入っていないでしょう。今回推定した数字は1557万匹でしたから、非常に精度のよい推定ができたといえるでしょう。
 なお、1310万匹という数は、10歳以下の日本国民の数を上回っ

ているそうです。これほど犬が飼われている国はほかになく、日本は犬市場では「先進国」であるとしています。

　市場調査会社のレポートですから、犬市場というマーケットを想定しているわけです。応用編として、犬に関する1匹あたりの支出を見積もって掛け算すれば、**「犬マーケット」**とでもいうべき数字が出そうです。

　ペットショップ、動物病院、ペットフード、ペットホテル、ペット葬儀、いろいろな市場がありそうですが、どこがどのくらいの市場規模で、どこが伸びて、どこが有望そうでしょうか？　あなたがコンサルタントだとして、犬マーケットへの新規参入を提言するとしたら、どういうものが有望と提言しますか？　またそれはなぜですか？　そのように考えてみるのも発展性のある議論といえそうです。

Q5

羽田空港は
1日に
何人くらいの人が
利用しているでしょうか？

....

HINT

①羽田空港ではなくて、成田空港ならどうでしょうか？　ロンドンのヒースロー空港だったらどう考えますか？　世界の空港で通用する基本的な推定式を考えてみてください。何をベースにして推定するか、ベース選びが重要です。

②計算の段階では、羽田空港においては常に航空機が飛び続けていると仮定すると話がシンプルになります。

③羽田空港が想像できない方は、利用したことのある近くの大空港（大阪、名古屋、福岡、札幌）に変えても問題の本質は変わりませんので、そのようにして進めてください。

A5

こ の問題にはいくつかのアプローチがあるように思われます。
1つは直接的なもので、文字どおり羽田空港に来る人を数えるというもの。つまり交通機関（モノレール、電車、自家用車、バス）といったものから考えるやり方です。

もう1つは、羽田空港に離発着する航空機を数えて、総計を羽田空港の利用者数とする考え方です。

どちらがよりよいでしょうか？　人によっては、前者のほうが、羽田空港に働きにくる職員や、見送り客などもカウントできるので、よりよいと考える人もいるかもしれませんが、後者のほうが有利のように思います。

前者は、交通機関は複数の種類があり、もしこの方法で見積もるならば、形態の違う4つのパターン（モノレール、電車、自家用車、バス）を見積もらなくてはいけません。それはあまりに煩雑です。

もう1つの判断軸は、普遍性です。この問題が、オヘア空港（シカゴ）やヒースロー空港（ロンドン）であったらばどうでしょうか？

オヘア空港では、私は行ったことがあるのでわかりますが、公共交通機関がほとんどなく、皆、空港までは車で来ていました。ヒースロー空港は、いったいどうなっているのか想像がつきません。**つまり交通機関側から直接数える方法は他の空港に応用がきかない、つまり物事の本質を突いていないということになります。**

空港に離発着する航空機を数える方法は、普遍性があります。世界のどの空港であっても航空機の離発着数というのはいくつかの関数で表すことができるからです。

■航空機の離発着数を見積もる

　羽田空港の航空機の離発着数を見積もる際に、多くの人が行ってしまうやり方は、直接的に航空機を数えようとするものです。つまり、羽田空港から飛んでいる便を、いくつかのカテゴリに切り分けて考えるのです。大阪便、福岡便、札幌便という幹線、沖縄や北九州、広島といった中規模都市への路線、徳島や秋田といった地方路線、全国のそれぞれの都市をピックアップしてそれぞれ何便が飛んでいるかを計算するという方法です。

　この問題に挑んだある人は、北から南まですべての都市をピックアップして、1日の便数を横に並べて、ひたすら掛け算と足し算を行っていました。

　この方法がいまひとつである理由は、羽田に接続している交通機関をすべて数えるという方法がいまひとつであるのと同じです。普遍性に欠けていて、スマートではないといえます。外国の空港の場合だったらばどうでしょうか？　シカゴのオヘア空港から、全米の都市にどこに何便飛んでいるかわかるでしょうか？

　本質を見極めるためには「羽田」という前提知識を取り払ったほうがうまくいきます。羽田は国内線が中心なので……とか、羽田の特徴は……ということから考え始めると、枝葉末節にとらわれてしまいがちです。羽田に関する知識があればあるほどそれらの知識を使ってしまい、うまくいきません。

　フェルミ推定においては、全体的な視点をもって、物事の本質を考えることが大事です。つまり、羽田においてどうだということではなく「空港においての離発着数を推定する一般的な式を考えよう」という方向性で始めることが大事です。つまり、シカゴのオヘ

ア空港でも、ロンドンのヒースロー空港でも、シンガポールのチャンギ空港でも通用するロジックを考えるということです。

キーとなるのは、航空機は滑走路というファシリティを利用するということです。滑走路が空いていなければ、どんなに航空機が飛びたくても飛びようがありません。航空機の離発着には、一定の間隔があります。たくさん飛ばしたくても10秒ごとに航空機を離発着させることはできません。

ですから、基本的な考え方としては、空港のマックスキャパシティ（最大の容量）は、滑走路に依存していて、どれだけ離発着間隔を短くできるかによって発着性能が決まるということになります。これに実際の空港の運用時間を掛け合わせたものが、航空機の離発着数を決める根幹の推定式になります。

航空機の離発着数＝最大許容運用数（滑走路数×離発着間隔）
　　　　　　　　×滑走路運用時間

空港の離発着数は、「滑走路数」「離発着間隔」「滑走路運用時間」の3つのパラメーターによっているということです。これ以外にはありませんし、これですべてです。つまりMECE（漏れがなく、ダブリもない状態）になっているということがわかります。

また、この推論には隠されていますが、ある重要な前提があります。大都市の空港は需要が供給に追いついていないという前提です。羽田、シカゴ、ロンドン、シンガポール……、都市部の大規模な空港ではどこも滑走路は複数あります。つまり、滑走路が1本では足りないから追加して建設したわけです。このような空港では常に滑

走路の拡張の話が出ています。つまり、大規模空港においては、滑走路はほぼ常に満杯状態で運用されていると考えておかしくないといえます。

その前提で、空港のマックスキャパシティ（最大の容量）＝飛行機の発着数であると、近似値が出てきます。

過疎地にある地方空港の場合は、空港のキャパシティに対して、実際に飛んでいる航空機の数は極端に少ないでしょうから（だから赤字になるのでしょうけれども）、それを考えた利用率などのいくつかのパラメーターを追加する必要が出てきそうです。

離発着数がわかれば、あとは、1機あたりの平均利用客数を掛け算すれば、全体の利用者数が計算できます。

総利用者数＝航空機の離発着数×1機あたりの平均利用客数

1機あたりの平均利用客数は、航空機1機あたりの座席に対して、どのくらいの搭乗があったかで決まるので、次の式で算定します。

1機あたりの平均利用客数＝1機あたり平均座席数×平均搭乗率

これらの式を使って、実際に推定していきます。

■実際に推定する

①離発着数

まずは、航空機の離発着数を推定しましょう。

羽田空港は滑走路が3本です。この数を知らない場合は、1本ではないが、4本も5本もではないというくらいでも十分です。3本の

滑走路が常に同時に利用できるわけではなさそうですので、ここでは2.5本が同時に利用できるであろうと推測します。

羽田空港は、始発の便がおよそ朝の6時くらいから、夜は到着便の最終が22時台でしょうか。6時〜22時として、およそ16時間の運用とします。

離発着の間隔はどのくらいでしょうか。羽田空港を見ると、航空機が離陸した瞬間に次の航空機が離陸態勢に入っています。着陸でもそうで、ある航空機が着陸したときには、上空には次の航空機が待っているという感じです。

羽田空港の場合「誘導路の工夫により発着間隔を5秒短縮」といったニュースを聞いたことがあります。5秒という単位がニュースになるくらいですから、きわめて短い間隔で離発着が行われているものと想像できます。

となると、非常に込み合っているときは、都市部の電車並みの3分に1本くらいの間隔で飛んでいるという感じになりそうです。つまり1時間に20機です。それ以外の時には5分に1本とします。

次に、空港が稼働している16時間を、繁忙時と閑散時に分けます。朝と晩それぞれ2時間を閑散時として、残りは繁忙時としましょう。

この前提で計算します。

繁忙時　2.5本×20機×12時間 = 600機
閑散時　2.5本×12機× 4時間 = 120機

　　　　　　　　　合計　720機

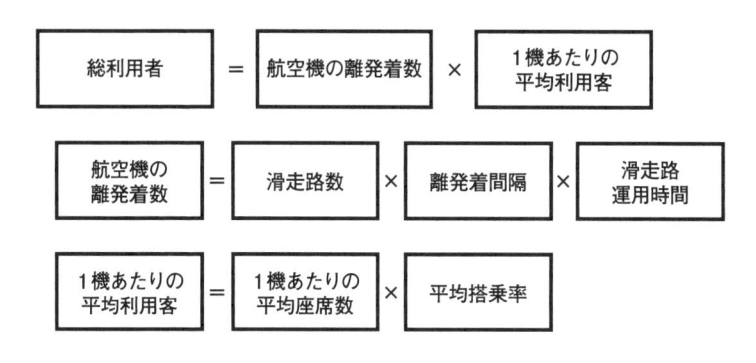

図1-5-1 羽田空港は1日に何人くらいが利用しているか?

```
総利用者 = 航空機の離発着数 × 1機あたりの平均利用客

航空機の離発着数 = 滑走路数 × 離発着間隔 × 滑走路運用時間

1機あたりの平均利用客 = 1機あたりの平均座席数 × 平均搭乗率
```

②利用者数

利用者数を推定します。

航空機は、東京-大阪を往復しているようなジャンボジェット機で、およそ500人を乗せることができます。他の地方都市へ行く便だと、200人乗りくらいの小さな機体を使っているでしょうか。ざっくりと平均して、1機あたり300人くらいが乗れると仮定しましょう。

飛行機の平均搭乗率は、**70%**とします。

300人 × 720機 × 70%搭乗 = **15万1200人**

約15万人というのが推定の結果です。

■実際の統計と比べてみる

　羽田空港のような公共機関では、統計が容易に手に入ります。
　国土交通省の「空港管理状況調書」によれば、2006年度の羽田空港の乗降客は6688万人とのことです。1日あたりにすると18万3000人です。かなり近い数字を見積もることができたのではないでしょうか。
　今回の見積もりでキーとなっているのは、航空機の離発着数でした。離発着数の統計も気になりますね。同白書によれば、羽田空港の離発着枠（つまり最大キャパシティ）は、現在は29.6万回/年間だそうです。つまり1日あたり810枠という計算です。これも今回の推定（1日720便）と近い数字でした。離発着をキーとした推定ですから、この数字が近いということは、答えの精度が高くなっているといえるでしょう。なお現在の離発着枠は満杯で、離発着枠の獲得をめぐって航空会社や行政の間で行われる駆け引きもニュースになっています。

Q6

レインボーブリッジを通る車の量は1日何台くらいでしょうか?

レインボーブリッジとは東京にある橋で、ショッピングモールやフジテレビがある港区の芝浦とお台場を結んでいる海面からの高さ52m、全長798mのつり橋です。片側2車線の自動車専用道路です。
※高速道路が並行して走っており、実際は一般道と高速道の2階建ての橋ですが、今回は一般道部分のみで考えてください。

HINT

① 橋を通る車両は、2輪であれ、バスであれ、トラックであれ、すべて対象にするものと考えてOKです。論理には影響がありません。
② 「ゴールデンゲートブリッジ(サンフランシスコ)の通行量は?」と聞かれた場合はどうしますか? 応用がきく推計モデルのほうが優れているといえます。レインボーブリッジ(お台場)という特定の地域の特性をもとに答えようとしているとしたら、間違った方向に行っています。
③ レインボーブリッジが想定できなければ、近くにある大型の橋を想定して進めても学習効果は同じです(横浜ベイブリッジ、関門橋、明石海峡大橋、名港西大橋など)。

A6

　まずは、問題をもう少し明確にします。レインボーブリッジを通る車の量といってもあいまいなので、どこまでを対象にするかを決めます。車といっても、4輪もあれば2輪もあります。4輪にも、乗用車、トラック、バスといくつか種類があります。これらは分けて考えるべきでしょうか？　この問題の場合、通行量を見積もるのが主眼ですから、基本的に4輪も2輪も乗用車もトラックもバスもすべて含めて、とにかく橋を通るものはカウントするという定義にしておいたほうがよさそうです。また、歩道があって人間が歩くこともあるかもしれませんが、人間はカウントしません。
　では、見積もりに入りましょう。

　この問題を何人かにやってみてもらったところ、いい線をいっていた人もいたのですが、中には迷走してしまう人もいました。
　迷走してしまったのは、知識に頼って「解答」を考えた人です。「知識に頼って」とは、レインボーブリッジという特定の橋の特性をもとに答えようと考えてしまうことです。
　具体的にいうと「レインボーブリッジは、港区の芝浦とお台場を結ぶつり橋だから、お台場のレジャー施設に行く人と、港に行くトラックが通ることが多い」という知識から入ってしまうパターンです。そして、レジャー施設に行くのは、家族連れと、カップルだというような話がつづいて、東京の人口のうち何人がお台場に遊びに行くか、というような推論を進めていきます。
　この方法で推計すると、どうしても手詰まりになります。まず、レインボーブリッジを通る目的をMECEに分解することが難しいことがわかるでしょう。レジャー目的以外に通勤の人もいるでしょう

し、千葉や横浜方面に抜けるために通る人もいるでしょう。MECEに表現するのは難しく、仮にできたとしてもかなり無理があります。そもそも通行量と利用目的が密接な関係にはないため、利用目的をベースに分類してもよい見積もりになるとは思われません。

　知識に頼る人は、どうしても自分が知っている知識からスタートして、それを展開しながら何かを考えようとするようです。その知識がパーフェクトであればともかく、部分的であったり、全体像がつかめていなければ、それから展開してもうまくいきません。おのずとMECEな議論にならず、論理性が欠けてしまいます。
　フェルミ推定で重要なのは、常に物事の本質を全体から見ることです。**全体を俯瞰して、枝葉末節を切り捨てて、この問いの場合は「通行量」を決めるいくつかのキーとなるパラメーターに絞って議論をしていくことが求められます。**
　知識から入らないとすれば、レインボーブリッジという固有名詞は引っ掛けです。レインボーブリッジだけに通用する議論をしてはいけません。物事の本質を見るとは、この問題が横浜のベイブリッジでも、本州と九州をつなぐ関門橋でも、はたまた外国の橋でも通用する議論をするということです。
　設問自体、国内の橋にするよりも、「ゴールデンゲートブリッジ（サンフランシスコ）の通行量は？」という問題に変えてしまったほうが、生半可な前提知識がない分、物事の本質を考えるように頭が働くかもしれません。

　橋の通行量を決めるものは何か？　橋には一定のキャパシティがあります。車がぎっしり詰まっているとしても、ある程度の車間距離をとって、通行する必要があります。いくつかの推論から、「車

図1-6-1 レインボーブリッジの通行可能台数を求める

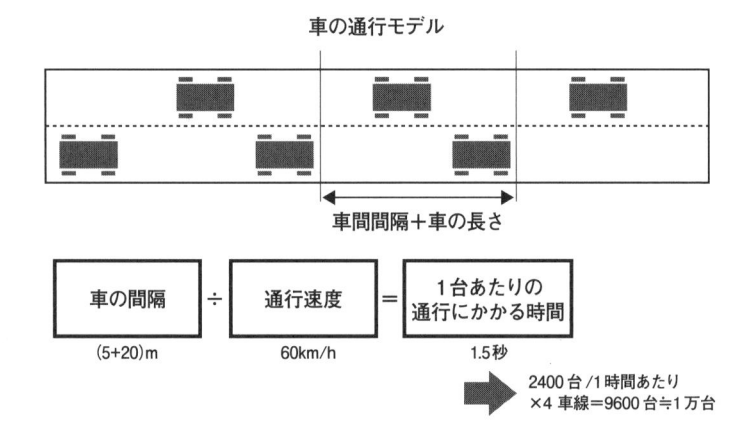

車の通行モデル

車間間隔＋車の長さ

車の間隔	÷	通行速度	=	1台あたりの通行にかかる時間
(5+20)m		60km/h		1.5秒

➡ 2400台/1時間あたり
×4 車線＝9600台≒1万台

がひっきりなしに往来したとき、最大どのくらいの通行が可能かどうか？」を見積もることができます。

ただし車の往来は時間帯によってかなりの差があります。朝夕のラッシュ時は、ひっきりなしに車が往来もあります。一方、深夜はほとんど車が通らないこともあるでしょう。橋の最大キャパシティを基本にして、実際にはどのくらいの車が通るかという「混雑率」の数字を設定すれば、かなりよい推計ができるように思います。これが基本方針です。

■最大交通量を求める

まずはレインボーブリッジのキャパシティを求めましょう。

図1-6-1の車の通行モデルに示すように、車というのは相互に入れ違いながら、一定の車間距離をとって進むのが理想です。この場合、通行量は2つのパラメーターから計算できます。

パラメーターの1つは通行する車の間隔です。前後の車の距離を詰めれば詰めるほど、単位時間あたりに多くの車が通行できるようになります。

　とはいえ、限界があります。カーレースのように車の後ろに車がぴったりついて走ることはありえません。現実的な車間距離があります。次に車のスピードです。時速30kmで走るより120kmで駆け抜けたほうが単位時間あたりに多くの車が通り抜けることができます。

　まずはこの2つのパラメーターから、通行量をざっと計算します。

　次にレインボーブリッジの通行速度は60kmとしましょう（実はレインボーブリッジは2階建ての橋で、高速道路が並行して走っているのですが、今回算出するのは一般道の部分のみとします）。

　時速60kmで走って安全な車間距離はどのくらいでしょうか。経験から考えると、自分の車の前にだいたい乗用車にして3～4台分のスペースがないと安全とはいえません。車の長さが5mだと仮定して、3～4台分は多く見積もって20mになります。自分の車の長さ5mを足して、およそ25mごとに車が位置して走っている状態が、最大限に混んでいる状態、つまり橋のキャパシティになります。

　この条件で計算を進めます。時速60kmで、25mごとに車が並んでいるとすると、ある地点では、どのくらいの間隔で車が通過することになるでしょうか？　車の間隔を速度で割ればいいのですから、

25m ÷ 60km = 0.000417（時間）
秒に直して、0.000417 × 3600 = **1.5秒**。

　つまり、1.5秒に1台の車が通過するというのが、ほぼ最大のキャパシティといえます。

ちなみにここで少し面白い考察をして見ましょう。速度を上げる場合です。この道路が時速120kmまで出せる高速道路だとしたらどうでしょうか？　120kmで走る場合に、車の間隔が25mしかなかったら、とても怖いでしょう。すると、車の間隔は60kmのときの倍、つまり50mくらいをとるのが適切となります。これで同様の計算をしても、車の通過の間隔は1.5秒となります。結局のところ、走行スピードと車の間隔は比例の関係にあり、時間で1.5秒くらいが、車が安全に通行できる最小時間間隔といえそうです。

　自動車安全に関する情報を検索してみたところ、次のような推奨値が掲載されていました。「安全な車間距離としては、2秒あるのがベスト、1.5秒は安全と思うぎりぎりの線」とのことです。

　ということは、1.5秒間隔で車が並んでいる状態というのは、最大通行量を見積もる際の、よい基準になりそうだということです。

　このとき、橋を1時間あたりで通過できる車の量は、

1時間（3600秒）÷ 1.5秒 = **2400台/時間**

　レインボーブリッジの場合、片側が2車線です。上り下りで4車線ですので、最大に通過できる車の量は、以下のようになります。

2400台 × 4車線 = **9600台/時間**

　この推計は非常に筋がいいといえるでしょう。この議論での示唆は、車が通行できる最大量は橋に限らず、人間が運転している以上、全世界どこでも1.5秒間隔程度だということです。世界のどこに架かっている橋であっても、同じ議論が通用するのです。

　仮にゴールデンゲートブリッジ（サンフランシスコ）の場合はど

うでしょうか？　東京のレインボーブリッジとの違いは車線数くらいです。ゴールデンゲートブリッジの場合、片側3車線の合計6車線。レインボーブリッジの1.5倍です。ですから、1.5万台/時間が最大に通過できる量だと推計できます。地域性うんぬんではなく、単純に車線数が通行量を決めるキーであるという示唆になります。

「レインボーブリッジは東京にある橋だから、東京の人しか答えられない。問題として不適切だ」という人もいました。**ここまで読めば、その指摘は的外れであるということは明白でしょう。**

次に考えるのは、時間帯による通行量の差異です。24時間常にひっきりなしに車が通るわけではありません。これを混雑率というパラメーターにしましょう。

非常に混雑しているときは、キャパシティに対して100％（つまり1時間に1万台）。通常の場合は50％、空いている場合は25％とします。そして深夜でほとんど利用がない特別な場合を混雑率5％と設定します。この4段階の率を掛け合わせて計算します。

まず時間帯を分けます。朝7時から9時の朝のラッシュ、16時から18時の夕方のラッシュ時は混雑率100％とします。朝9時から昼までを25％、その後夕方までを50％としました。夕方のラッシュのあとは徐々に混雑が緩和していき、深夜は5％の設定にしています。

この区分や、パーセンテージの設定には、正解があるわけではありません。強いていえば、この部分こそが「レインボーブリッジだから」という**特性を考察に入れる**べきところです。たとえば、「レインボーブリッジは東京という大都会に位置する橋なので、過疎地域にある橋とは違い、朝夕では混雑率が100％に達する時間帯もあるはずだ」「お台場の先の埋立地に行くトラックが多く、ラッシュ

表1-6-1 時間帯ごとに数字を置いて計算してみる

時間帯		混雑率（%）	通行台数（台）
6時〜 7時	1h	50	5,000
7時〜 9時	2h	100	20,000
9時〜12時	3h	25	7,500
12時〜16時	4h	50	20,000
16時〜18時	2h	100	20,000
18時〜20時	2h	50	10,000
20時〜23時	3h	25	7,500
23時〜 6時	7h	5	3,500
計			93,500 台/1日

時間帯以外にも大型車が業務で通ることが多いはず」といったものです。

私なりに時間帯ごとに数字を置いてみたのが表1-6-1になります。ここまで数字を置いたならば、あとは単なる計算です。

結果は**9万3500台/1日**ということになりました。

■実際の交通量

レインボーブリッジを管理する首都高速道路株式会社に問い合わせてみたところ、レインボーブリッジの交通量の統計を得ることができました。それによると、芝浦からお台場に向かう方向で4万3500台、反対方向で2万4430台、合計6万7930台/1日です。これは高速道路部分*での統計ですので、無料の一般道部分はもう少し車が通っていると考えられます。そうすると、それほど遠くない推計であることがわかります。

＊レインボーブリッジは2階建ての構造をしており、上段は有料の高速道路、下段は無料の一般道になっている。

Q7

東京都内では
タクシーは
何台あると
考えられますか？

....

HINT

① いろいろなアプローチで考えてみてください。わかりやすい方法としては、皆さんがどれだけタクシーを利用するかという需要を積み上げるアプローチがあります。まずこの方法で推定してみて、他のアプローチも考えてみてください。解説では3通りのアプローチを示しています。

② 面積をベースにして考えるというアプローチにもチャレンジしてみてください。

③ 東京都ホームページによれば、東京都の人口は約1300万人、東京都の面積は約2200km^{2}です。

A7

タクシーの台数を見積もるのに一番単純なやり方は、誰が月に何回使うかという回数を需要ベースで積み上げる方法です。多くの人がまずこの方法を考えるのではないでしょうか。まずはこの方法でやってみましょう。

■需要ベースのアプローチ

基本となる考え方は、東京都内でのタクシーの需要をすべて積み上げて、タクシーの供給で割り算するというものです。「シカゴのピアノ調律師は何人？」と同様に、**需要と供給がつりあっているだろうという推定モデルです**。

まず、東京都の人口×利用頻度で需要を算出してみましょう。東京の人口はざっと1300万人とします。そのうち、あまりタクシーを利用しない0～20歳までの人口を除外します。20歳までの人口を20%程度として、残りの80%、つまりざっと1000万人が利用人口とします。1000万人が週に1度タクシーを使うとしましょう。このあたりはかなり大雑把な推定ですが、先に進みましょう。

人口1000万×週1回利用＝**1000万回/週（需要）**

「この需要を何台のタクシーで満たせるか？」を次の式で考えま

図1-7-1　需要＝供給で考えたロジック

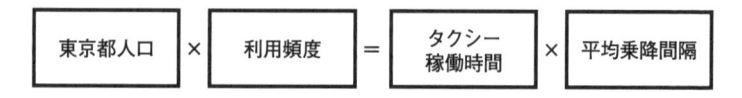

| 東京都人口 | × | 利用頻度 | ＝ | タクシー稼働時間 | × | 平均乗降間隔 |

す。

> タクシー1台あたりの供給/週＝タクシー1日の稼働時間×7日
> ÷平均乗降間隔

■タクシーの供給量

　タクシー1台の稼働時間を1日に16時間（1台を8時間×2人でシフト勤務とする）とします。単位を1週間に直すので、16時間×7で、112時間/週になります。

　次に、お客さんを乗せる頻度を考えます。平均して30分に1回は客を乗せるとしましょう（最近は空車が多いようですから、多く見積もった数字かもしれません）。

　そうすると、1週間に224人を乗せることができるとします。この数字の妥当性はどうでしょうか。客単価が仮に2000円くらいだとすると、週に45万円になります。1カ月にすれば180万円/台。それほどおかしい数字ではなさそうです。少なくとも桁がずれたような数字ではなさそうです。

　この数字を使って、タクシーの台数を計算しましょう。

　需要÷供給ですから、

1000万回/週（需要）÷224回/週（供給）＝**4万4642台**

約4万5000台という計算結果になります。

■その他のアプローチ

　何人かとこのタクシーのケースを議論したことがあります。**驚いたことにすべての人が、この積み上げ方式の論理展開をしました。**

需要と供給で推定する方法は簡単で精度が高く便利ではありますが、普通すぎて面白みに欠けるということもあります。このケースの場合もう少し面白い方法がないか探ってみるのもいいでしょう。

　もう1つの考え方は、**ミクロな観察を引き伸ばして推定する方法**です。街を観察すれば、だいたいどのくらいの密度でタクシーがあるか代表的なサンプルを取り出せそうです。このサンプルを、東京都全体の面積に拡大します。これはある一定の観察が代表的であると仮定して、それを全体に引き伸ばして推定するという考え方です。

　実際にやってみましょう。

　まず東京都の面積を算出します。東京都は縦30km×横80kmくらいの長方形と考えて、2400km^{2}と見積もります。

　東京といっても全域が都市部ではなく、山も多くあります。そのため、3分の1を山間部、3分の1を郊外、3分の1を都心（23区）というように区分します。さらに、その中でも都心部分を20%の駅前や繁華街部分と、80%のその他の市街地に区分します。

　この区分ごとに、だいたい1km^{2}あたりどのくらいのタクシーがありそうかを常識的な観察に基づいて値をセットしていきます。

①山間部

　まず山間部ですが、ここはほとんどタクシーはいないと考え、1km^{2}あたり1台とします。1台×800km^2=**800台**。

②郊外

　次に郊外を考えます。しかし、1km^{2}という単位はすこし大きすぎて漠然としています。1km^{2}あたり何台といわれてもピンとこないので「常識」が働くスケールに落として考えましょう。1km^{2}というのは、1km×1kmの正方形です。その中にタクシーが流すよ

うな、ある程度大きな道路が通っているという理論モデルを考えます。

だいたい300mに1本、1kmだと3本の道が通るとします。縦横それぞれに3本通っていると、道は6本。それぞれの道に少なくとも1台のタクシーが存在すると仮定しましょう。すると6台/1km²となります。これに800km²を掛け算して、**4800台**。

③その他市街地

郊外に道をイメージしたのと同じ感覚で考えます。タクシーが通るような大きな道路が200mごとにあるとしましょう。すると、密度は25台/1km²です。640km²×25台＝**1万6000台**です。

④駅前、繁華街

ここでは、タクシーが通る道路が100m間隔で碁盤の目状にあるとしましょう。そのすべての交差点にタクシーがあるとして、100台/1km²とします。160km²×100台＝**1万6000台**です。

すべて合計すると、以下の推定になりました。

800台＋4800台＋1万6000台＋1万6000台＝**3万7600台**

この方法では、1km²あたりでどのくらいのタクシーがいるかという部分で大きなブレが生じそうです。ブレを抑えるためには、今回は1km²の中にさらに「道」を通してみるなどして、常識的な観察が有効になるまでブレイクダウンする必要がありました。このアプローチは、発想そのものは面白いのですが、タクシー密度というのがどうしても詰めきれない数字であるため、全体的な推論として

図1-7-2　1km²あたりの密度で計算したロジック

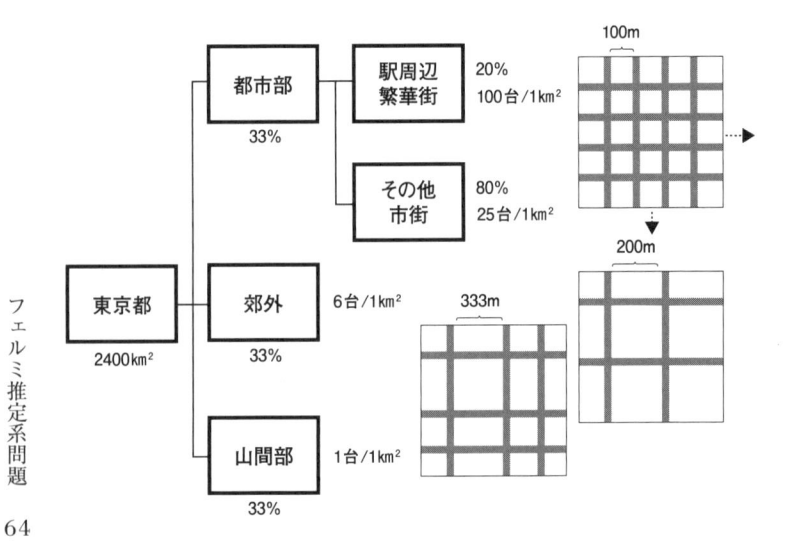

は弱い印象は拭えません。そこで、この発想をもう少し進めて第3のアプローチを考えます。

■さらなるアプローチ

　第3のアプローチは、道そのものに注目するやり方です。第2のアプローチである面積から考える方法では、最後は道の本数を考えて推定していました。結局「道」を考えるのであれば、ダイレクトに「道」に注目してしまえという考え方です。当たり前ですが、道以外の場所にタクシーは存在し得ません。ですから、第2のアプローチでとった面積あたり何台というアプローチではなく、タクシーが道の上に何台あるかを数える方法のほうがより直接的です。

ロジックの幹はつぎのようなものです。
（1）東京都の面積のうち、一定の面積が道路であると考える（それ以外は山や住宅、ビル、公園など、道路以外）。
（2）道路にはタクシーが通るようなある程度大きな道路があると考える（それ以外は、住宅街の中の道路のような小道や側道でタクシーは通らない）。
（3）その道路面積のうち、ある程度の確率で車が存在する。
（4）その車のうち何台かに1台がタクシーである。

実際に（1）〜（4）の数字を考えてみます。

（1）東京都の面積2400km^{2}のうち、20％を道路とします。残りは山だったり建物が建っていたり、公園であったりです。すると、480km^{2}が道路ということになります。
（2）道路のうち30％が、タクシーが通るようなある程度大きな道路です。すると、144km^{2}が該当します。
（3）その道路の10分の1の面積に車が存在しているとします。そう考えると、14.4km^{2}の部分に車があることになります。
（4）そのうち10台に1台がタクシーと推定します。つまり、東京都2400km^{2}のうち、1.44km^{2}の部分はタクシーのみによって占められていると考えます。

タクシー1台あたりは5×5m（25m^2）の面積を占有するとして、1.44km^{2}を25m^{2}で割り算します。単位が違う同士の割り算で桁が大きいので計算ミスしないでくださいね（**面接ではこのような計算が速くできるかどうかも評価のポイントになります**）。

図1-7-3 面積から考えていくロジック

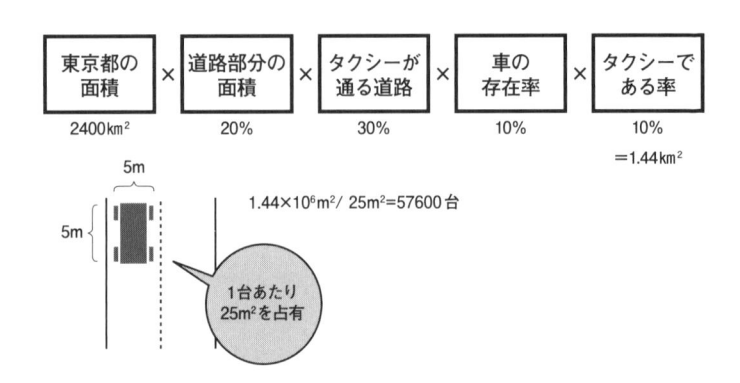

東京都の面積	×	道路部分の面積	×	タクシーが通る道路	×	車の存在率	×	タクシーである率
2400km²		20%		30%		10%		10% =1.44km²

1台あたり25m²を占有

5m × 5m

$1.44 \times 10^6 m^2 / 25m^2 = 57600$ 台

$$1.44 \text{km}^2 \div 25\text{m}^2 = 1.44 \times 10^6 \text{m}^2 \div 25\text{m}^2$$
$$= 0.076 \times 10^6 = 57600 \text{台}$$

結果は、5万7600台となりました。

■ **まとめと実際の統計**

このタクシーのケースでは3つのアプローチを考えました。

最初の需要と供給から考える方法は4万5000台。2番目の面積から考える方法では3万7600台。最後の道路から考える方法では、5万7600台となりました。それぞれに1～2万台のばらつきはあるものの、極端に桁がずれた結果にはなりませんでした。

さて、実際の統計はどうなっているでしょうか？

東京のタクシー会社が加盟する東京乗用旅客自動車協会のホームページによれば、2007年3月の東京のタクシーの数は、法人タクシー（タクシー会社が営業するもの）3万6743台、個人タクシー1

万8478台で、合計5万5221台（ハイヤーを除く）とのことです。

　ここで、もう一度フェルミ推定の意味を確認しますが、フェルミ推定では結果がどれだけ実際の数字に近いかよりも、**その推定の過程における論理性や妥当性を重視します**。ですから、結果の数字だけを比べて、どのアプローチが良いとか、悪いとかを評価するのはナンセンスです。3つのアプローチともに、極端に桁がずれていることもないため、概ねよい推定だったといえるでしょう。

Q8

エアバスA380の重さはどのくらいでしょうか？

機体は、人や貨物を載せておらず、
燃料も考えず、純粋に機体の重さのみで考えてみてください。
ただし座席や機材は設置されているものとします。

HINT

① エアバスA380の想像がつかない方のために、主要なデータを掲載します。A380は、世界最大の航空機で、総2階建て、キャビンの総面積はジャンボジェット機（ボーイング747）の約1.5倍。エールフランス社の機体の場合、538席（ファースト9席・ビジネス80席・エコノミー449席）が設置可能。エンジンは4基搭載し、降着装置のタイヤはノーズギア2本、ボディギア12本、ウイングギア8本の計22本。全長73m、翼幅79.8m

② 機体をいくつかのパーツに分けて重量を推定するのが素直な方法です。

③ ②以外に、少なくとも1つの別アプローチも考えてみてください。タイヤに注目して、重さを一発で計算する考えがあります。

エ アバスA380とは、最近大々的にニュースになったので知っている人も多いかと思いますが、エアバス社が作る最新鋭の航空機で、世界最大の大きさを誇ります。総2階建てのデッキで、内部にバーなども設置できるという巨大な空間があるのが特徴といえましょう。この重さを推定してみることにします。

前提として、機体は、人や貨物を載せておらず、燃料も考えず、純粋に機体の重さのみを測るということにしましょう。座席などは設置されているものとします。

エアバスA380の重さを推定するのには、どのような方法があるでしょうか。**まず、誰もが考えつく方法は、機体をいくつかの部分に分けて、それぞれに重さを見積もる方法です**。機体の分け方や、数字の見積もりの細部に個性はでるものの、この問題に取り組む99％の人が行うのがこのアプローチです。

まずは、とりあえず、この方法で見積もってみます。

注）以下の推論は前ページのHINTで示された実際のデータを見ず、コンサルタントが常識ベースで考えたものです。皆さんはHINTの数字を使ってもかまいません。

■機体をいくつかのパーツに分ける

機体を主要なパーツに分けます。飛行機を構成するパーツとしては、胴体、主翼、尾翼、垂直尾翼、エンジン、タイヤ、この6つくらいでしょう。それにプラスして、内部にある、座席、トイレ、その他の機材といったものです。

これらを個別に見積もります。まずは胴体からはじめましょう。

①胴体

　エアバスA380は巨大な飛行機です。まず、エアバスA380の全長や全幅を推定する必要があります。座席の数では、過去最大だったボーイング747（いわゆるジャンボジェット）よりも大きいはずです。しかし、機体の全長や全幅がそれほど大きくなっているとは考えにくいといえます。なぜなら、既存の空港の滑走路の仕様は決まっており、エアバスA380のためだけに幅を広げたり、長さを伸ばしたりすることは難しいからです。全長、全幅においては、既存のジャンボジェット機とそれほどの違いはないでしょう。胴体の大きさが少し大きくなって2階建てになったと考えましょう。

　胴体の直径は、シートの数から考えます。エコノミークラスのシートを3-5-3で設置するとします。1列あたり11のシートになります。シート幅は50cmでしょうか。A380は大きいので、20％増しのスペースを設置できると仮定して、

60cm×11（座席）＋60cm×2（通路分）＝7.8m

という計算です。

　機体の長さも、シートの数から考えます。50列あるとして、それぞれが1m間隔で並んでいるとすれば50m、これにコックピットと、後部の乗客を乗せられない部分を含めて約70mとします。

　つまり、胴体は、直径8.4m×長さ70mの円柱であると推定します。

　これの表面積はざっと推定して$2\pi hr = 1800m^2$です。

　1平方メートルあたりの素材の重さを推定します。胴体は厚さ3mmの板であると想定します。すると3mm×100cm×100cm＝

3000cm³の金属でできていることになります。3000cm³の素材の重さは10kgとしてみましょう。

すると胴体の重さは10kg×1800m² = 18000kgです。これに骨組みなどが加わり2倍として、約36000kg=**36トン**としましょう。

②主翼、尾翼、垂直尾翼

この調子で精密に見積もっていると、いくら時間があっても足りません。ある程度ざっくりと見積もっていくことにします。

胴体の大きさから、主翼は長さ70m×幅15mの大きさとします。70m×15m×上下で表面積は、2100m²になります。

尾翼は小さく20m×10mとしましょう。垂直尾翼はその半分。するとあわせて、600m²です。これらの翼の重さは、

10kg×2700m² = 27000kg = 27トン。

構造材が表面積の約50%くらいあるとして、27 + 13.5 = **40トン**とします。

③エンジン

エンジンは4つついているとします。エンジンは巨大で鉄の固まりですので、いかにも重そうです。車より重いと考え、大型トラック並みに1つ5トン。あわせて**20トン**。

④タイヤ

タイヤの本数はわかりませんが、4本1組になっていて、主翼の後ろにそれぞれ2組ずつあるとします。すると16本。前輪も4本あるとして、合計20本としましょう。

タイヤは人間より巨大なので、相当に重そうです。1本100kgとして全部で2トン。

タイヤの足が同じだけの重さがあるとして**4トン**とします。

⑤機体の内部

一番重いのは座席です。50列×11（座席）として、550席。2階建てフロアですが、完全に2倍とまではいかないでしょうから、1.5倍としましょう。すると825席です。1シートあたり10kgの重さがあるとして、10kg×825席＝8250kg＝8トンです。荷物を置く棚のところが1席あたり2kgの重さがあるとすると2トン。

トイレが10ヵ所、それぞれ100kgで1トン。コックピットなどの機材が3トン。すべて合計して、**14トン**。

⑥配線など

配線などの細かいものも、大量に積んでいそうですから、無視できません。ここでは**5トン**とします。

⑦総重量は

36＋40＋20＋4＋14＋5＝**119トン**

が答えとなりました。

しかし、このやり方は細かく見積もっている割には、あまり納得感のない数字に思えてしまいます。エンジンが1つ5トン、というのも「なぜ？」と突っ込まれやすい数字です。根拠はある程度あるので、桁が1桁ずれるということはなさそうですが（エンジンが500kgだったり50トンであることはなさそう）、論理的に美しい感じはしません。個々のパーツの重量を積み上げるというのはいわば力技です。では、もっとほかの方法はないのでしょうか？

ここで、どれだけ多くの推定方法を考えつくことができるか？

頭の柔軟性が勝負になります。誰もが思いつくような上記の方法だけでなく、なるほどと思うような発想豊かな方法を考えつくことができるでしょうか。

とても面白い別の方法を示します。

■タイヤプレッシャーから考える

この方法は、タイヤから考える方法です。航空機は、当たり前ですがタイヤが支えています。航空機の重量を、タイヤの空気圧が支えているというところに注目すると次の式が成り立つはずです。

機体重量＝接地面積×タイヤプレッシャー（空気圧）

これを計算してみましょう。

まずは設置面積です。

飛行機のタイヤは非常に大きく、人の背丈にとどこうかというほどの直径があります。タイヤ直径を150cmと仮定します。タイヤの幅を50cmとします（単純化してタイヤドーナツのように角がまるいものではなく、角が90度になっているとします）。

タイヤの側面積＝150cm×3（円周率）×50cm（幅）＝22500cm^2

このうち10％が接地するものとして、2250cm^{2}が接地。

タイヤの空気圧を5気圧とすると、

5kg/cm^2×2250cm^2＝11トン／タイヤ

という計算になります。

タイヤの数は、先ほどのパーツごとにした場合の考察から20本とすると、11×20＝220トンとなります。

■実際のデータ

　A380のデータを『Wikipedia』で調べました。それによるとA380-800型という機体で、全長73m、全幅79.8m、高さ24.1mとのこと。胴体の直径が7.14m、機体内部の直径が6.58mでした。

　重量関係でいうと、最大離陸重量560トン、ペイロード（航空機に搭載できる旅客あるいは貨物の積載量）が66トン、最大燃料搭載量は31万リットル。運用時重量が、276トンだそうです。

　一般的な重量は載っていませんでした。機体の仕様（席数や内装、エンジンの種類）によって上下するからでしょう。

Q9

フィギュアスケートの試合を
観に来た皆さんに、
スケートリンクの氷でカキ氷をつくって
食べてもらおうという企画をしました。
はたして観客全員に配るほど
十分なカキ氷は
つくれるでしょうか？

HINT

①まず、スケートリンクの大きさを知る必要がありますが、選手が滑走するスピードなどから自分で推定してみてください。
②スケートリンクの氷の厚さは5〜10cm程度だそうです。
③氷の重さは1cm^3 あたり0.917gです（計算上は1cm^3=1gとしてかまいません）。

A9

　面白い問題ですね。フィギュアスケートを観に来た皆さんに、リンクの氷で作ったカキ氷を食べてもらおうという企画です。はたして氷は足りるのでしょうか？

　スケート場の氷を食べ物として提供すること自体は、衛生上の問題があって非現実的ではありますが、問題としては面白い設定です。

　この問題は、まずスケートリンクに存在する氷の量を推定します。次の4ステップで考えましょう。

①スケートリンクの大きさを推定する
②氷の量を推定する
③カキ氷が何杯作れるかを推定する
④観客に配れるのかどうか考える

■スケートリンクの大きさを推定する

　テレビの中継などで観ているイメージからおよその見当はつきそうですが、少しいろいろな角度から推定してみましょう。

　まず、会場は特別にフィギュアスケートのためにつくられた施設ではなさそうです。通常の体育館を代用して大会を開いているとしましょう。バスケットボールや、バレーボールを行うコートと同じ場所でやっているわけです。

　たとえばバスケットボールだと、だいたいゴールからゴールまでの長さが30mくらいでしょうか。横幅（？）が15mくらい。スケートリンクは全面を使っているので、これよりは大きいと考えられますから、長さ50m×幅30mくらいでしょうか。

　また、選手が滑走するスピードも考えてみましょう。秒速15mくらいで滑走して、3秒くらいで端から端まで行きます。すると縦

は45mくらいでしょうか。横も、1、2秒は滑走できないと、うまく滑ることができないので、2秒の余裕があるとして、やはり30mくらいはありそうです。

以上から、リンクは、**50m×30m**であると仮定しましょう。

■氷の量を推定する

リンクの大きさを50m×30mとしたので、あとは氷の厚さを考慮にいれれば、氷の量がわかります。

氷の厚みは、およそ10cmとしましょう。人間が滑走するだけなので、30cmや50cmもの厚い氷が必要とは思われません。かといって2、3cmだと削れてひびも入りそうです。10cmくらいが適当と思われます。

$$50m \times 30m \times 0.1m = \mathbf{150m^3}$$

氷は水より若干軽く$1cm^3$あたり0.917gです。ここでは計算上$1cm^3$の氷を1gとしましょう。$150m^3$の氷はおよそ150トンになります。

■カキ氷の量を推定する

次にカキ氷について考えます。1杯のカキ氷にどれくらいの氷を入れるのが正解ということはありませんから、これはある程度任意に設定してもよいでしょう。

1杯あたり100gとしましょうか。200〜300gくらいだと、コンビニで売っている氷のパックを半分くらい食べてしまうことになり、とてもあり得ない量です。

では1人あたり100gとすると、どのくらいのカキ氷が提供できそうでしょうか（簡易的に100gの氷 = 100cc = $100cm^3$とします）。

$150\text{m}^3 \div 100\text{cm}^3$

$= 150 \times 100^3 \text{cm}^3 \div 100\text{cm}^3$

$= 150 \times 100^2$

= **1500000杯**

※cmとmの換算、体積と面積（m^3, m^2, cm^3, cm^2）、容量（l, ml, cc）といった基本の計算はスムーズにできるようにしておく必要があります。**ゼロが非常に多くなるため、指数の計算ができると、計算が速くなります。面接では計算力の有無も評価しています。**

計算結果は、150万杯となりました！ すごい量です。フィギュアスケートの大会の場合、満員でも観客は1万人程度でしょう。すると、全員にカキ氷を振る舞っても、十分余ります。1人あたりにして、150杯分のカキ氷を提供できそうです。

■実数字から

フィギュアスケートは、アイスホッケーのリンクを流用するそうです。アイスホッケーのリンクの規格は、長さ200フィート（約61m）、幅98.5フィート（約30m）、四隅の部分の半径は28フィート（約8.5m）です。また、アイススケートリンクの施工を手がけるダイダン株式会社のホームページによれば、リンクの氷の厚さは、フィギュアスケートの場合5〜7cm程度であるとのことです。

また、カキ氷ですが、Q＆Aサイトによれば、氷1貫あたり、40〜50人前のカキ氷をつくれるそうです。1貫という単位は、3.75kg相当です。すると、およそ1人前で75〜93ｇとなります。

フィギュアスケートの観客数は、2008年のNHK杯が行われた代々木第一体育館では収容人数が1万3291人（スタンド席9079人、ロイヤルボックス88人、アリーナ席4124人）となっています。

Q10

文字どおりの赤道直下には何人くらいの人が住んでいるでしょうか?

「文字どおり」というのは、赤道を一本の線としたとき、その下に住宅があるという状態を指すこととします。

....

HINT

① 地球の総面積は509,949,000km²、赤道の長さは40,075kmです。
② 世界には約60億人の人が住んでいます。
③ この問題は、やや「とんち」的なものがあります。シンプルに考えることで、簡単に答えをだす式が見つかります。要素に分解して論理を重ねるというより、その式を思いつくかどうか、という点にこの問題のポイントがあり、問題1〜9までとは少し趣が異なります。

A1の

　一見したところ、難しい問題のように思えます。

　赤道直下といっても、海、山、都市部、砂漠、いろいろありそうですし、「そのうち人が住めるのは？」と積み上げ式のアプローチで考えてもかまわないのですが、もう少し簡単に考える方法があります。

　海、山、都市部、砂漠、いろいろ含めて、地球上いたるところに人は住んでいます。赤道にも海、山、都市部、砂漠といろいろあるでしょうが、十分にサンプルが大きければ、地球上全体とたいして変わりないと考えることができます。

　つまり、地球上に住んでいる人口のうち、赤道直下に住んでいる人の割合は、地球の総面積のうち、赤道直下の面積とイコールであると考えられるでしょう。

　式にしてみると、以下の関係が成り立つということです。

$$\frac{地球人口}{地球の総面積} = \frac{赤道に住んでいる人数}{赤道の面積}$$

　これにはサンプルが多い必要がありますが、地球の面積や、赤道の長さから考えて、サンプルとしては十分としましょう。少なくとも桁が2桁、3桁も違ってくるということはなさそうです。

　この方法で、計算してみます。

　赤道の面積は、まさに赤道直下に住んでいる人ということですので、赤道を一本の細い線としたとき、その幅を20mくらいにして、その中に家があって、まさに住んでいる状態と定義します。

幅20mで計算すると

赤道面積 = 40000km × 20m

 = 40000km × 0.02km

 = 800km^2

 = $8 × 10^2$km^2

地球の総人口は現在60億人としましょう。
これで、先ほどの式を解いてみます。

$$\frac{人口\ 6 × 10^9 人}{地球総面積\ 5 × 10^8 m^2} = \frac{赤道に住んでいる人数}{赤道面積\ 8 × 10^2 km^2}$$

比例式はたすきがけで解けます。

赤道に住んでいる人数

 = 人口$6 × 10^9$人 × 赤道面積$8 × 10^2$km^2 ÷ 地球総面積$5 × 10^8$km^2

 = $48 × 10^{11} ÷ 5 × 10^8$

 = $9.6 × 10^3$

指数表記を直すと9600人ということになります。
答えは、およそ1万人ですね。

同じような考え方で解ける問題としては、
「いま日本でこの瞬間に航空機に乗っている人は何人？」
「いま日本でこの瞬間にトイレで踏ん張っている人は何人？」
「いま日本でこの瞬間に携帯電話で話している人は何人？」
「いま日本でこの瞬間に赤ちゃんを産んでいる人は何人？」

というのがあります。

　考え方は同じです。世界の人口とその瞬間に〇〇〇をしている人の比率は、あなたがある時間のうち〇〇〇をしている割合と同じです。

　「いま日本でこの瞬間に航空機に乗っている人は何人？」の例でいうと以下の計算式となります。

$$\frac{飛んでいる人}{日本人口} = \frac{平均的な日本人が1年間に航空機を利用する時間（時間）}{365 \times 24 時間}$$

　「いま日本でこの瞬間にトイレで踏ん張っている人は何人？」の解法は、以下のとおりです。

$$\frac{踏ん張っている人}{日本人口} = \frac{平均的な日本人が1日に踏ん張る時間（分）}{24 \times 60 分}$$

　「いま日本でこの瞬間に赤ちゃんを産んでいる人は何人？」も、一見すると難しそうですが、同様の考えでできます。

$$\frac{まさに産んでいる人}{日本人口(女性)} = \frac{出産時に病院で過ごす時間}{平均余命}$$

　これを少し計算してみましょう。必要な数字はざっとこのようなものです。

日本の女性人口：6500万人

平均余命：90年（約 8×10^5 時間）

出生率：1.3

陣痛から出産まで：平均8時間

$$\frac{まさに産んでいる人}{65 \times 10^6 人} = \frac{8時間}{8 \times 10^5 時間} \times 1.3$$

$$= 65 \times 10^6 \times 1.3 \times 8 \div 8 \times 10^5$$
$$= 84.5 \times 10$$
$$= 845（人）$$

という計算です。まさに子供を産んでいる人が計算できるなんて、ちょっと面白いですよね。

■物理の世界でいう、フェルミ推定に近い問題

　この問題は、いままでの問題と少し毛色が違うと感じたのではないでしょうか。元々はフェルミ推定というのは、物理の世界で勘を養うために使われていたものでした。この問題は本来の**シンプルなフェルミ推定**に近い形になっています。

　問題をMECEな要素に分解したり、軸や視点をセットしたりというような「コンサルティング的」な思考が必要な度合いは少なくなっています。

　フェルミ推定といってもこの問題のように「ほぼ計算が主体のもの」から、本書で主に解説している「対象となる物事を切る軸を自分で設定して理由づけをするもの」まで幅広くあります。

　投資銀行などでは計算能力とスピードを見るために前者の問題も

出される場合があります。戦略コンサルティング会社で出されるフェルミ推定は、アプローチや切り口の良し悪しと、「なぜ、そう考えるのか？」という理由や根拠が重視されるため、**多くの場合後者の問題が出題されます。**

PART 2
ビジネスケース系問題

ビジネスケース系問題とは、ごく単純化されたビジネスシチュエーションを使って、問題解決能力を測る問題です。この系統の問題でも具体的な知識の有無よりも、体系立てて、論理的に問題にアプローチできるかどうかが問われます。基本的には問題解決の手法にのっとるのがいいでしょう。ロジックツリーをつくり、論点を明らかにして、分析を加え、結論を導くという段取りになります。

Q11

ロンドンオリンピック(2012年)で日本のメダル数を増やすにはどうすればいいでしょうか?

あなたにこの相談をもちかけた相手は、
日本オリンピック委員会の会長だとしましょう。金だけではなく、
銀、銅あわせてメダルの総数を増やすのがゴールです。

HINT

①メダルが増えるメカニズムをまずは考えてみてください。
②2008年の北京オリンピックで日本がたくさんメダルを取った、柔道やレスリングという競技はどういう特徴がある競技なのでしょうか?
③競技をいくつかのタイプに分けてみて、日本が力を入れるべきか判定できるような整理をしてみましょう。PPM*のような図が描けないでしょうか?
④参考までに、次のページに、2008年北京オリンピックでの日本の獲得メダル実績のデータがあります。

*ボストン コンサルティング グループが開発したプロダクト・ポートフォリオ・マネジメントの略

A1.1

ま ずは、2008年の北京オリンピックにおける、日本選手の成績を確認しておきましょう。

＜金メダル＞
柔道男子66kg級、柔道男子100kg超級
柔道女子63kg級、柔道女子70kg級
競泳男子100m平泳ぎ、競泳男子200m平泳ぎ
レスリング女子55kg級、レスリング女子63kg級
ソフトボール
計9個

＜銀メダル＞
フェンシング男子個人フルーレ
体操男子団体総合、体操男子個人総合
柔道女子78kg超級
レスリング女子48kg級
レスリング男子フリースタイル55kg級
計6個

＜銅メダル＞
柔道女子48kg級、柔道女子52kg級
競泳男子200mバタフライ、競泳女子200m背泳ぎ
競泳男子4×100mメドレーリレー、自転車男子ケイリン
レスリング女子72kg級、レスリング男子フリースタイル60kg級
シンクロナイズドスイミング　デュエット

陸上男子4×100mリレー、男子ハンマー投げ
計11個

　あなたが日本オリンピック委員会の会長に、この相談をもちかけられたとしましょう。「**どういう競技で、どんな強化策を打っていくか？**」を考えてみます。

　2008年の北京オリンピックで日本選手が獲得したメダル数は、金9個、銀6個、銅11個の計26個でした。金メダル9個の内訳を見ると、柔道が男女合わせて4個、女子レスリングで2個、競泳は2個（北島選手が1人で2個です）、そしてソフトボールです。かなり競技に偏りがありますね。

　2012年のロンドンオリンピックでのメダルの数をできるだけ多くするための取り組みをするとします。金メダルではなく、銀、銅あわせて、メダルの総数を増やすのがゴールです。

　どのように考えますか？

　この問題を何人かに考えてもらったことがあるのですが、論理立った解答ができた人は1人もいませんでした。多くの人が、自分が注目している（ないしは自分が好きな、自分が詳しい）競技の話を持ち出して、具体的な強化策を語り始めました。

　たとえば、以下のようなアイデアです。

・日本型柔道の限界が見えた。ポイントを取る柔道を取り入れつつ、日本のよいところを伸ばせば、柔道ですべてのメダルを取ることもできる。

・日本の報奨金制度に問題がある。アマチュアスポーツ選手がメダルを取っても具体的に選手としてこれからもやっていけるような土壌があるわけではない。

スポーツ評論家ではないのですから、そんな細かいことを言っても仕方がありません。他の作戦としては、以下のようなアイデアもありました。

・北京オリンピックで実施が最後となった野球・ソフトボールを復活してもらう。
・サッカーは審判が買収しやすい。事前の裏工作で、日本に有利な判定をしてもらう。

いずれも「戦術」レベルの解答が多いのです。

　このようなケースの問題で求められているのは、個々の競技に対してどうこうするという「戦術」の話ではありません。求められているのは、競技全体を俯瞰して、日本として、どのような「考え方」に基づいて、各競技を支援していくかということです。つまり「戦略」です。このような「戦略」を立てるにはどういう考え方、アプローチをすべきかが問われています。

　難しいようにも思えますが、根本に立ち返って考えてみることが重要です。根本とは「なぜメダルが増えるのか？」「メダルを取るとはどういうことか？」を考えてみるということです。**メダル数を増やしたいというのですから、まずはどうしたらメダルが増えるのか、そのメカニズムを最初に明らかにする必要があります。**

■メダルを増やすメカニズム

　メダルを増やすメカニズムを考えてみます。非常に簡単な考察です。
　まず、そもそも競技に参加していなければ、メダルは期待できません。多くの競技に選手を参加させることのできる国のほうが、メ

図2-11-1　メダル数を増やすための基本の考え方

```
┌─────────┐   ┌─────────┐   ┌─────────┐
│ メダル増 │ = │チャレンジ│ × │3位以内に入る│
│         │   │回数の増大│   │ 確率の増大 │
└─────────┘   └─────────┘   └─────────┘
```

ダルを取る可能性は高まるわけです。

　1種目にしか参加しないカリブ海の小国は、その選手が金メダルをとっても、メダルの数は1つです。一方、ほぼすべての種目に参加している、アメリカ、中国という国は、まぐれのメダルも含め、メダルを取る機会が非常に多くなります。「出場せずしてメダルなし」です。

　次に考えるべきは「メダルを取る」ということです。メダルというのは、その競技において上位3位以内の人がもらえるものです。参加した選手が、上位3位以内に入りさえすればいいのです。

　ごく単純な観察ですが、基本的にメダルを増やす方法は、「できるだけ多くの競技に参加する」×「その中で上位3位に入る」の2つの方向性しかないということがわかります。

　式に書いてみると、以下のようになります。

　メダル数↑=(参加種目↑)×(3位以内に入る確率↑)

このように当たり前のことを当たり前に論理的に考えることが重要になってきます。

　では、「参加種目を増やす」「3位以内に入る確率を増やす」という方向のそれぞれにどのようなやり方があるかを順番に考えてみましょう。

■参加種目を増やす

　最初に、チャレンジ回数を増やす＝参加種目を増やすという方向性を考えて見ます。

　近年オリンピックでは毎回新しい競技が増えています。2008年の北京大会でも、いくつかの競技が新しく実施されることになりました。

　たとえば、BMX（マウンテンバイクで行う障害レースのような競技）やオープンウォータースイミング（川、湖もしくは海洋などで行う水泳版マラソン10kmレース）があります。

　こうした競技にすかさず選手を派遣するというのが1つの重要な策です。

　次のオリンピックでもいくつか新しい競技が増えることになるでしょう。その競技が、日本が伝統的に強い競技であれば、良い結果を生みそうです。

　調べてみると2012年ロンドン大会では空手とスカッシュが候補にあがっているようです。空手は日本選手にも親しみがありそうな競技です。いずれもまだ正式採用と決まったわけではないようですから、空手を正式種目にしてもらえるようなロビー活動に力を入れるというのは1つの解です。メダルを量産している女子柔道なども近年正式種目に追加されたものなのです（1992年バルセロナ大会より）。

　一方で、野球やソフトボールのように、北京オリンピックで実施が最後となってしまった競技もあります。新しい競技が増える一方では、大会規模がどんどん大きくなってしまいますから、廃止となる競技が出てくるのも当然です。日本が強かったソフトボールの廃止は、メダル数が減ってしまう事態だといえます。

競技の新設や廃止のコントロールは、日本だけではいかんともしがたいところもあり確実ではないため、長期的な視点をもって地道に取り組む必要がありそうです。

　競技自体の新設が難しくても、女子柔道、女子レスリングのように、女子種目を採用してもらうとか、または、新しい「階級」や「スタイル」を新設してもらうことは考えられそうです。たとえば体重別に分かれている競技の体重区分を増やしてもらうとか、個人競技に限られている種目に団体戦もつくってもらうというようなことです。

　特に団体戦は、個人とダブルでメダルを狙えることから、メダル獲得機会を増やすのにはベストでしょう。

　考えられるアイデアは以下のようなものです。

・女子レスリングの体重別階級を増やす（ワールドカップよりオリンピックのほうが階級が少ないそうです）。
・女子レスリングにおいてもグレコローマンスタイルを実施。
・柔道に団体戦というカテゴリを新設。

　そのほかにも細かく見ていけば、階級やスタイルという点では競技数を増やすいろいろな可能性が眠っていそうです。

　この方向性については、実は次に述べる競技の分類をある程度頭に入れて述べてしまっています。この議論をもう少し精緻なものにするために、相対競争力という概念を導入して**競技を4つに分類**して、議論を発展させていきましょう。

■3位以内に入る確率を増やす

　参加しただけではメダルは増えません。メダルを増やすためには、参加した競技において「3位以内に入る確率を増やす」ことも必要です。3位以内に入るというのは、選手の相対的な競争の結果3位

図2-11-2　競争力マトリクス

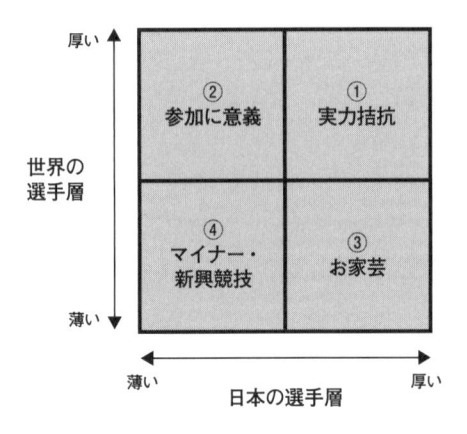

```
         厚い ↑
              ┌─────────┬─────────┐
              │   ②    │   ①    │
              │参加に意義│ 実力拮抗 │
世界の        ├─────────┼─────────┤
選手層        │   ④    │   ③    │
              │マイナー・│ お家芸  │
              │新興競技 │         │
         薄い └─────────┴─────────┘
              薄い ←──────→ 厚い
                   日本の選手層
```

にランクインすればいいわけです。日本と世界の相対的な競争力を考えるためには、たとえば次の**2×2のマトリクス**にして、縦横を次のように定義してみます。

　縦軸に世界全体における選手の層の厚さをとります。サッカーなどの全世界で多くの選手がひしめき合っているような競技は、選手層が厚いといえます。一方で、柔道などは、日本とヨーロッパの一部で盛んなだけのようですから、世界的な選手層では薄い部類に入るでしょう。

　次に、日本における選手層の厚さを横軸にとります。日本では野球やサッカーはプロがあるくらいですから、多くの選手がいます。一方でフェンシングなどは競技人口自体が少なく、日本の選手層も薄いといえます。

　このような観点から、図2-11-2のマトリクスのように競技を4分類してみます。それぞれの分類を検討して、どの分類に力を入れ

ていくべきかを考えてみます。

①世界の選手層が厚く×日本の選手層も厚い（＝実力拮抗）

　これは前述のサッカーなどの競技です。世界の層が厚い。日本もプロがあるくらいだからそこそこ層も厚い。しかし、世界の層が厚すぎるためになかなか上位には食い込めません。

　日本人として応援していて一番楽しいのはこれらの競技でしょう。日本の代表が世界の強豪にチャレンジしていく。サッカーしかり、マラソンしかり。メダルが取れたときの喜びはひとしおです。

　しかし、この分野は**メダル確実とはいえません**。日本も強いが、世界も強い。実力が拮抗しています。どの国もメダルを取る可能性もあるが、メダルが取れない可能性も高い。つまり、結果はやってみないとわからないといころが多い競技といえましょう。これらを"実力拮抗競技"と名づけます。

　この分野の競技においては、選手の活躍に期待して、メダルが取れれば素直に喜ぶとします。もしくは、実力が拮抗しているのですから審判を買収するなどして、少し手心を加えてもらえれば、相対的な競争力はアップしやすいはずです。それは汚いというならば、自国が有利なようにルール改正を試みるという手もあります。

②世界の選手層が厚く×日本の選手層は薄い（＝参加に意義）

　このタイプの競技の典型例は、陸上のトラック競技などが当てはまりそうです。世界的な競技層は厚く、強豪がたくさん存在します。日本においても層が薄いとまではいえませんが、他の競技にくらべて特段厚いわけではなさそうです。射撃などもそうかもしれません。射撃は古くから実施されていて世界中に競技者がいますが、日本においては規制もあって警察官と自衛隊員が中心という層の薄さです。

これらの競技で選手が3位以内に入るということは至難の業です。多額の育成費をかけて選手を育成しても、世界の選手がさらに強いわけですからなかなか**相対的な順位は上がってきません。**

　これらの競技については、広く浅くなるべく多くの競技に参加しつつも、なにかの奇跡を待つほかありません。北京大会では陸上トラック競技で男子が初のメダルを取りましたが、そのようなことがないとも限りません。

③世界の選手層が薄く×日本の選手層は厚い（＝お家芸）

　このタイプの競技がお家芸と呼ばれるものになります。たとえば柔道が典型的なお家芸でしょう。柔道は日本のほかは、ヨーロッパの一部の国で人気があるだけで、それほど選手層は厚くなさそうです。女子となればさらに薄い。一方、国内では盛んで一流の選手層がいるわけですから、相対的にみて上位に食い込める確率は一番高いといえます。

　女子のレスリングもこのタイプの競技かもしれません。

　これらの競技は多少調子が悪くてメダル数が減ったとしても予算をかけて「復活」させるべきものといえます。

　ただし、この分野の競技はすでに取れるだけのメダルを取りきってしまっているという視点もあります。この分野の競技でさらにメダルを増やすことは難しいのではないか？

　となると、この分野での「参加種目」をなんとか増やせないかと考えます。先ほどの種目を増やすという方向性は、お家芸種目を念頭に入れて行うべきものです。

　たとえば女子のレスリングでは、オリンピックではワールドカップと比べて階級が1つ少なく設定されています。これをワールドカップと同じにして、1つ階級を増やすことができればメダル獲得

の機会も確実に増えそうです。さらに女子にもグレコローマンスタイルが導入されれば種目が一気に倍になるため、さらなる機会が見込めそうです。また、柔道の団体戦も導入の余地がありそうです。これを導入すれば、男女でメダル獲得の機会が2つ増えます。

④世界の選手層が薄く×日本の選手層も薄い（＝マイナー・新興競技）

　分類の最後は、最近採用されたような競技、もしくはマイナーな競技が当てはまるでしょう。世界的な選手層は厚くはないが、日本の選手層も薄いというようなものです。

　北京大会で採用されたBMX（マウンテンバイクの障害競技）は、世界的にもまだまだマイナーなスポーツでしょうし、日本でもBMXが盛んだという話をききませんからこのカテゴリに当てはまりそうです。

　日本の選手層が薄くても、そもそも世界も薄いのですから、相対的な競争力でいえば拮抗しているともいえます。運がよければキャリアの短い選手でもメダルを取るようなことがあるかもしれません。ですから、いち早くこれらの競技の選手育成に投資をして、**世界との相対競争力を高めてしまう**というのはとてもいい策です。この分野の競技への先行投資は、将来的に"お家芸"競技へ成長する場合があるかもしれません。

■まとめ

　以上の考察から、最終的には、次のような方向性が考えられます。
　"お家芸"競技で確実なメダルを取れるように十分な強化策をすべき。お家芸競技では、参加種目自体を増やせないか階級の新設なども検討してもらえるようなロビー活動を行う。

一方、"マイナー・新興競技"には、将来ドル箱となる競技かを見極めて長期的に育成予算をかけていくべき。

　"実力拮抗競技"に関しては、国民の注目は大きいものの投資対効果が低いので、実力を落とさないレベルの強化にとどめます。

　"参加に意義"の競技では、大変残念ながら、選手の自主努力に任せるとします。

　また、この結論でわかるように、「戦略」とは、何に重点（この場合は強化策）をおき、何を捨てるかという、「集中と選択」のことです。有名なBCGのPPM（プロダクト・ポートフォリオ・マネジメント）も、「資源（ヒト・モノ・カネ）をどの分野に重点的に振りむけるか？」ということを論じるためのものです。

　このケースでは、競技を分類することで、**集中と選択を行うために必要な枠組みを提示できるかどうか**が、最大の評価ポイントになります。

Q.12

羽田空港の利用者数を増やすにはどうすればいいでしょうか?

羽田空港のターミナルビルを運営している
日本空港ビルデングの社長からの依頼と仮定します。
羽田空港としてできること、という前提で答えを出してください。

HINT

① PART 1の「羽田空港は1日に何人くらいの人が利用しているでしょうか?」というフェルミ推定の議論をベースに考えてみてください。
② 方策のオプションについては、それぞれどのくらいの効果がでるか定量的な数字で見積もれますか?
③ 方策については、2×2などのマトリクスなどに整理して、優先順位付けを行ってみましょう。

A12

この問題を数人とディスカッションしたとき、9割の人の答えが異口同音、まったく同じだったのにとても驚いたことがあります。その答えとは次の2つです。

「PRキャンペーンを打ってもっと航空機を利用してもらう」
「モノレールなど空港へのアクセスをもっと便利にして、たとえば東京−大阪間で新幹線より航空機のほうが時間が短縮できるようにする」

PRのほうを最初に挙げる人が多く、次は異口同音にして新幹線をターゲットとした差別化策です。そのあと「ほかにはないのか?」と突っ込むと、以下のような解答が出てきました。
「羽田空港に大きなショッピングモールをつくる」
「割引運賃などをうまくアピールして、早朝と夜の時間帯の利用客を増やす」

この本をここまでお読みになった方であれば、これらの解答がどうもいまひとつであることはおわかりでしょう。

何がいまひとつかというと、次の3つでしょう。

①個々の思いつきベースで、全体感に欠けている。
②施策と、羽田空港の利用者増のあいだをつなぐ論理が希薄。
③定量的な効果がわからない。

①はアイデア先行で考えた場合は必ずこのようになってしまいます。「羽田を使おうPRキャンペーンだ!」と思いついたアイデア

に飛びついて「こういう方法でPRしよう。新幹線に優るメリットを打ち出そう」といった具合に膨らませていく方法は、**全体感に欠けてしまいがち**です。「他の方法はないのか？　どうしてその方法がいちばんなのか？」といわれると答えようがないのです。

　たとえば、「滑走路を増やすというのはないのですか？」と突っ込むとどうでしょうか。それは現実的ではないという反論があるかもしれません。しかし理論上は、滑走路を増やすオプションもありえるはずです。

　②も同様です。PRキャンペーンと羽田空港の利用者増の間をつなぐ論理がかなり省略されています。

　③は、「では、結果として利用者が何人くらい増えそうなのか？」が見えないため、「イメージだけで語っている」という印象が強くなってしまいます。数字による検証がほしいところです。

　では、どのようにすれば①、②、③を明確にする議論ができるのでしょうか。

■メカニズムの考察から考えること

「羽田空港の利用者を増やしたい」という問いに対して、利用者を増やすアイデアから入るのはまずいといいました。

　ではどうすればいいかというと、「利用者が増えるメカニズム」を考察することです。

　つまり、そもそも羽田空港の利用者数というのはどのようにカウントするのか？　というところを考えてみるのです。

　PART 1のフェルミ推定の議論をベースにして考えましょう。

　羽田空港の利用者数をフェルミ推定してみるところから、この問題へのアプローチは始まります。まずはフェルミ推定を行ってみて、

羽田空港の利用者数をいくつかの小さなパラメーターに分解してみます。そして、そのパラメーターごとに、利用者を増やすために改善の機会がないかを考えていく、というのが望ましいアプローチです。

「〇〇を増やせ」「〇〇を2倍に」という問いは、その裏に「まずは〇〇をフェルミ推定する」「〇〇のメカニズムを考える」ということが隠されているのです。

つまり、**この問題はPART 1の「羽田空港の1日の利用者数は何人か？」という問題とセットになっています。**

■羽田空港の利用者数の式

ここからは、PART 1の「羽田空港の1日の利用者数は何人か？」を読んだという前提で進めていきます。

PART 1では、羽田空港の利用者数は、図2-12-1のような式で推定しました。羽田空港の総利用者数を増やすには、この式に着目すればよいのです。

つまり、利用者を増やすには2通りの方向性があるということです。羽田空港の離発着枠を拡張して、もっと航空機が飛べるようにするというのが1つ。もう1つは航空会社を支援するなりして、1機あたりに今よりも大勢の人に乗ってもらうという方向性です。

どちらの方向性がいいでしょうか？ PART 1でフェルミ推定をした際には、「航空機の離発着数」「1機あたりの平均利用客数」それぞれについて、さらにブレイクダウンしていますので、それぞれ議論を深めることにします。

■離発着数を増やせないか？

最初の方向性は、羽田空港の離発着数を拡張して、もっと航空機

図2-12-1　羽田空港の利用者数を増やすにはどうしたらいいか？

```
┌─────────┐   ┌─────────┐   ┌─────────┐
│ 総利用者 │ = │ 航空機の │ × │1機あたりの│
│         │   │ 離発着数 │   │ 平均利用客 │
└─────────┘   └─────────┘   └─────────┘
  15万人*          ↑              ↑
              どちらのパラメーターを向上させるほうが
              可能性がありそうか、で考える。
```

＊PART1で推定した数字を利用している

が飛べるようにするというものでした。

PART1では、離発着数を、次のような式で定義しました。

航空機の離発着数＝滑走路数×離発着間隔×滑走路運用時間

　羽田空港の離発着数は、「滑走路数」「離発着間隔」「滑走路運用時間」の3つのパラメーターによっているということです。これ以外にはありませんし、これですべてです。つまりMECEになっているということがわかります。

　離発着を増やすということは、つまり、**「これらの3つのパラメーターを向上させるには？」**ということと同じであるといえます。

　では、この3つを順番に議論しましょう。

　議論をする際には、妥当な向上幅を置いて、実際にどのくらいの効果が見込めるのか定量的な効果を把握しながら議論していきます。

①滑走路数を増やす

　滑走路数に対する施策は、滑走路を建設するということです。滑

走路の建設には莫大なお金がかかりますが、増えた滑走路分だけ離発着数は劇的に向上しますから、ありえる施策です。初めから、滑走路を増やすなんていう話はない、と決めてかかるのは問題です。

たとえば、PART 1での見積もり時には、現状の滑走路数を2.5本としました。これを1本増やして、3.5本にすることがでれば、離発着数は**40％**も増えることになります。

②離発着間隔を短くする

次は、離発着間隔を短くするという方向性です。具体的にどのような方法があるのかわかりませんが、管制塔の機能を強化し、最新のITシステムを導入して安全性を高めたり、航空機がスムーズに滑走路に出入りできるよう導線を工夫することによって、離発着間隔は短くすることができそうです。

PART 1での見積もり時には、およそ3分に1回、つまり1時間に20回という間隔だと仮定して計算してみました。これを30秒短縮して、2分30秒に1回、つまり1時間に24回にするということができるようにしましょう。

このときの効果を算定してみましょう。

離発着間隔を短くするのは、繁忙時の12時間が対象です。1時間あたり4機増えますので、「4機×12時間＝48機増」の向上が見込めます。1日あたり720便という前提にたっていますので、48便の追加は、**約7％**の改善効果があります。

離発着間隔のところでもう1つの策は、閑散時間帯にもう少し航空機を飛ばしてもらうようにするということです。

見積もりでは、4時間の閑散時は、12機／時間と見積もっています。これが16機／時間まで増えたとしましょう。すると、効果は16便増、**約2％**の改善効果が見込まれます。

図2-12-2 航空機の離発着数を増やす方向性

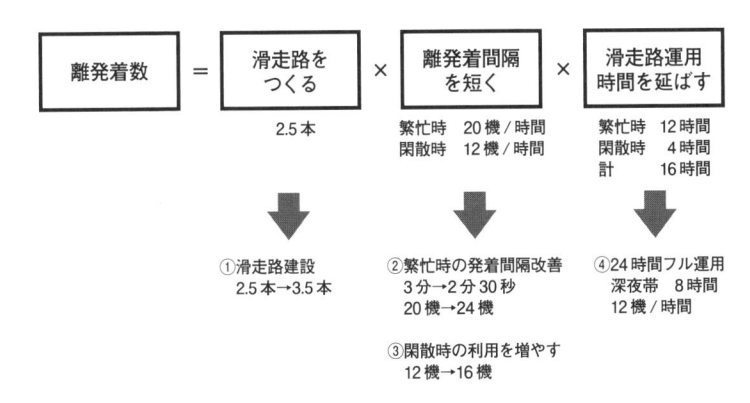

```
                    ┌─────────┐     ┌─────────┐     ┌─────────┐
┌─────────┐         │ 滑走路を │     │離発着間隔│     │滑走路運用│
│ 離発着数 │    =    │ つくる  │  ×  │を短く   │  ×  │時間を延ばす│
└─────────┘         └─────────┘     └─────────┘     └─────────┘
                        2.5本       繁忙時 20機/時間   繁忙時 12時間
                                    閑散時 12機/時間   閑散時  4時間
                                                      計    16時間
                         ↓              ↓                 ↓
                    ①滑走路建設    ②繁忙時の発着間隔改善  ④24時間フル運用
                    2.5本→3.5本    3分→2分30秒          深夜帯 8時間
                                   20機→24機            12機/時間
                                   ③閑散時の利用を増やす
                                   12機→16機
```

③滑走路の運用時間を延ばす

　最後が運用時間です。運用時間を延ばすことによって、多くの航空機を飛ばすことができます。PART 1の想定では、運用時間を16時間としていましたが、これを24時間フル運用ができるようにするとしましょう。まったく使われていなかった時間帯に8時間の延長が可能です。この時間帯に1時間あたり12便が離発着すると仮定すると、1日あたり96便が増えることになります。効果としては**13%**になります。もっとも本当の深夜の時間帯は、客数も減ることになりそうですから、そのまま13％向上とはいかないと思いますが、比較的容易に増便できる方法でしょう。

■ 1機あたりの利用者を増やせないか？

　いままでは、羽田空港の離発着数を増やすことで、多くの航空機を飛ばし、利用客を増やすという策を議論してきました。ここから

は、「1機あたりの利用者を増やす」とい方向性で考えます。1機あたりの利用者は、次の式で表していました。

　1機あたりの利用客＝航空機の平均座席数×平均搭乗率

　この2つのパラメーターを増やす方法を考えます。

①航空機の平均座席数を増やす
　これは、航空機の大型化を意味します。つまりジャンボジェットのような巨大な航空機をもっと使うということです。さらに、世界最大の旅客機であるA380という機体も登場しました。よって、これらの導入がすすめば、平均座席数は向上するかもしれません。

　仮に現在1機あたり300席としている座席数が、20％向上して、360席となったと仮定して試算すると、3万人の改善効果があります。

　ただし、この策は、論理的にはありえる策ですが、実行は難しそうです。空港に乗り入れている航空会社すべてに機体の大型化に取り組んでもらわないといけません。空港の立場では、何かするということはできず、各社の意向にまかせるしかないでしょう。昨今は燃費のよい中型機が主流になってきているようですので、大型化というのは時代の波に逆行しそうです。

②平均搭乗率を上げる
　冒頭で紹介した解答を思い出してください。

　「PRキャンペーンを打つ」「もっと便利にしてたくさん乗ってもらう」といった施策です。これらは、すべて「搭乗率アップ」のための方法です。割引運賃を工夫するとか、新幹線と比べてのメリットを明確にするといったようなものも、すべて「搭乗率」に関わる

図2-12-3　1機あたりの利用客を増やす方向性

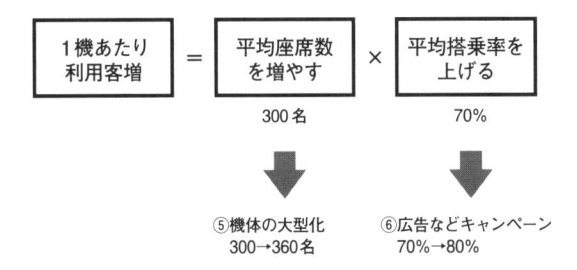

```
┌──────────┐     ┌──────────┐     ┌──────────┐
│ 1機あたり │ ＝  │ 平均座席数│  ×  │平均搭乗率を│
│ 利用客増 │     │ を増やす │     │  上げる  │
└──────────┘     └──────────┘     └──────────┘
                     300名            70%
                      ↓               ↓
                  ⑤機体の大型化    ⑥広告などキャンペーン
                  300→360名         70%→80%
```

施策ですから、「搭乗率を上げる」でひとくくりにできるはずです。

仮に現在70％と見積もっている搭乗率を、これらの施策で80％にできれば、**約14％**の改善効果があります。

冒頭の回答が「全体感に欠ける」理由はここまで読めば明白でしょう。利用者数に関わる事柄には、いままで5つの論理的にありえるパラメーターを挙げて議論してきました。冒頭の解答は、最後の「搭乗率」に関する事柄しかカバーしていません。さらに、他のパラメーターに関しては、それらの存在すら示唆できていません。

仮に「搭乗率」をもっと深く議論するというのはいいとしても、どうして「搭乗率」が他の項目にくらべて重要で取り上げる価値があるのか示されていません。

ですから、冒頭の解答は、「全体感にかけ、論理性がなく、さらに定量的でもない」という3つの点でダメになってしまうのです。

一方でこの議論においては、もっと大きな枠組みで議論していることがわかると思います。**全体を捉え、個々の策の位置づけを論理的に示し、定量的な効果も算定しています。**

「平均搭乗率の向上が全体の中で最も重要なファクターなのでそれを向上させる」というのは**戦略的な議論**です。

表2-12-1　施策の効果算定

施策	想定	効果
①滑走路建設	2.5本→3.5本	+40%　(60,480人)
②繁忙時離発着間隔短縮	3分→2分30秒(24機/時間)	+7%　(10,080人)
③閑散時の利用増	12機→16機	+2%　(3,360人)
④24時間フル運用	深夜帯で96本増	+13%　(20,160人)
⑤機体大型化	300人→360人	+20%　(30,240人)
⑥搭乗率アップキャンペーン	70%→80%	+14%　(21,600人)

「新幹線との違いをアピールする」というのは**戦術的な議論**です。

■施策を評価する

さて、いままでの議論では大きく6つの施策があがりました。

①滑走路の建設、②繁忙時の離発着間隔の短縮、③閑散時の利用増、④24時間フル運用、⑤機体の大型化、⑥搭乗率アップキャンペーン

この6つの施策の効果についてまとめたのが表2-12-1の「施策の効果算定」です。

これを見ると、①滑走路の建設の効果がダントツに大きく、次に、⑤機体の大型化や⑥搭乗率アップが並んでいます。効果の面では、これらの施策が重要だといえましょう。

ただし、単純に効果が高いからという理由で評価するのは一面的すぎます。もう1つ**「実行の難易度」**という軸も併せて考える必要がありそうです。

図2-12-4は、〈効果〉×〈実行の難易度〉を軸にしたマトリクスに①～⑥の施策をマッピングしたものです。

実行の難易度について議論すると非常に長くなってしまいますので、私なりに考えて置いた仮説であるということでご理解ください。

図2-12-4 施策の効果×難易度マトリクス

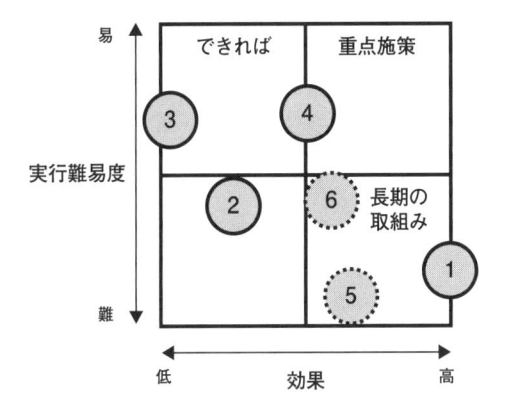

もし実際にコンサルティングをするのであれば、これらの難易度についてもいくつかの評価指標を置いて、専門家にヒアリングするなどして、妥当な評価をしていくことになります。

このマトリクスから読み取れる戦略はどのようなものでしょうか？

まず、右上の〈効果が高く〉〈実行しやすい〉ところは真っ先に実行すべきでしょう。この象限にズバリ入るものはないのですが、④の24時間フル運用化というのが近いでしょう。ですから、まずはこれを重点施策にするべきです。

次に左上は〈効果はそこそこ〉ですが〈実行しやすい〉ということで、できれば取り組みたい施策です。

右下の〈効果は高いが〉〈実行が難しい〉というところは、①滑走路の建設、⑤機体の大型化、⑥搭乗率アップの3つが入っています。短期的にはなかなか難しいでしょうが、長期で取り組むべき課

題といえます。

　ただし、⑤と⑥は、航空会社側の取り組みであるため、空港側としてはあくまで支援にとどまるため、破線で示してあります。とくに⑤の機体大型化は、実現性は薄そうです。

　左下の〈効果が低く〉〈実行も難しい〉ところは、優先度は低いでしょう。これでいうと、②の離発着間隔を短縮するというのがこれにあたります。

　このマトリクスから導くことのできる、およその結論は次のようになります。

　運用ルールの変更で対応できそうな、空港の24時間フル運用化がまず取り組むべきことです。次に、長期的な取り組みとして、抜本的に離発着数を増やす滑走路の増設を考えます。また空港側としては航空会社各社の搭乗率を伸ばすよう、キャンペーンの連携や、施設の利用のしやすさ、発着料金の柔軟な割引などを通して、魅力をアップしていく継続的な努力が大切です。他の策の優先度は低いです。

Q13

おしぼり会社の社長から おしぼりの売上げを伸ばしたいと 相談されました。 どのようにするのが いいでしょうか？

このおしぼり会社はごく普通の繁華街におしぼりを納入している零細企業です。扱っているのはタオル地の布おしぼりです。おしぼりの価格は非常に安く、他のおしぼり会社間での価格にはあまり差がありません。

HINT

①売上げを伸ばすということをいくつかの要素にブレイクダウンして考えましょう。

②おしぼりの価格、商品特性、ライフサイクル、競合状況を考える必要があります。

③紙おしぼりと布おしぼりではビジネス構造が違います。

A13

　まず、少々前提を確認しましょう。おしぼりというのは、例のタオル地でできていて、筒状に巻かれていて、温かい状態で、飲食店での飲食の前に出されるものとします。このおしぼりを飲食店に納入している会社の社長から相談を持ちかけられたと、仮定しましょう。

　顧客となる飲食店は町の普通の飲食店で、中華料理店、すし店、蕎麦店、定食店、居酒屋といったところが対象であるとします。紙おしぼりは扱っていないとしましょう。

　おしぼりの売上げを伸ばしたいというのですから、売上げが伸びるための要因をいくつかの要因に分解してみます。

　まず考えられるのは、価格を上げて売上げを伸ばす方法です。

　次が、おしぼりを売る量を増やす、つまり、納入している店の数を増やすということです。

　最後が、店の数は増やさなくても、1店舗または顧客1人あたりが使うおしぼりの量を増やすというものです。

　この3点について議論すれば、売上げを伸ばすことに関しては論点をカバーできるでしょう。

　このように「売上げを伸ばすには？」という大きな問題に対していきなり議論し始めるのではなく、議論ができそうな小さな論点に分けて考えるアプローチをしなくてはいけません。大きな問題のままで、それに対していろいろなアイデアをぶつけていくだけでは、論点が拡散してしまい、納得のいく結論でなくなってしまいます。

　「価格を上げられないか？」「納入先を増やせないか？」「1人あたり/1軒あたり使用量を増やせないか？」という3点の議論の枠組みをセットしました。では、おしぼり会社の業態や特性を考えて、

図2-13-1　おしぼりの売上げを伸ばす方法

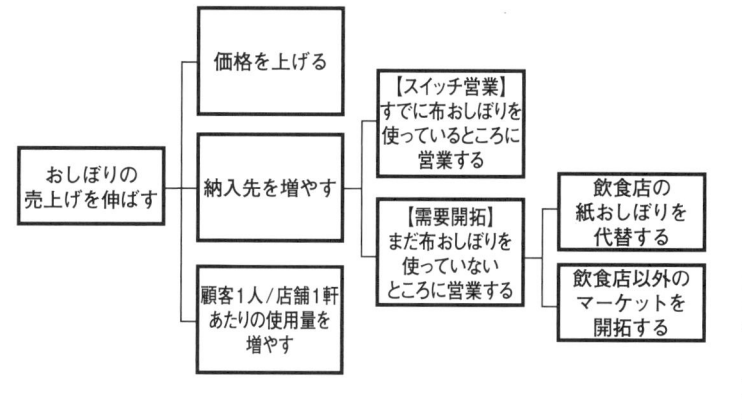

```
                    ┌─価格を上げる
                    │                    ┌─【スイッチ営業】
                    │                    │  すでに布おしぼりを
                    │                    │  使っているところに
                    │                    │  営業する
おしぼりの──────┼─納入先を増やす──┤
売上げを伸ばす      │                    │  【需要開拓】           ┌─飲食店の
                    │                    └─まだ布おしぼりを──────┤  紙おしぼりを
                    │                       使っていない          │  代替する
                    │                       ところに営業する      │
                    │                                              └─飲食店以外の
                    │                                                 マーケットを
                    │                                                 開拓する
                    └─顧客1人/店舗1軒
                       あたりの使用量を
                       増やす
```

実際に議論していきます。

■価格を上げられないか？

　おしぼりの価格は上げられるでしょうか？

　上げられる、上げられないを結論づけるには、おしぼりという商品の価格がどう決まっているかを少し考察する必要があります。

　おしぼりという商品は、まずどのおしぼりをみても同じに見えます。色は白と黄色の2種類があるくらいで、形はほぼ同じですし、提供形態も同じです。

　このようにどの商品も同じに見えるものをコモディティ化しているといいます。どのメーカーだろうが、どの納入業者だろうが、消費者としてはあまり関係なく、大差がなくなっているものを、コモディティ化しているとか、コモディティ商品といいます。たとえば、砂糖、マッチ、わりばし、コピー用紙、メモリー、などです。

　消費者（お客）にとっての価値が同じならば、店としては、でき

るだけ安いおしぼり業者を選ぶのが普通の経済行動です。**つまり、コモディティ化している商品では、価格こそが重要な競争要因になっているといえます。**おしぼりは単純な商品ですし、多くの業者が参入できます。

　このようなものは過当競争に陥り、おそらくおしぼりの価格は、下がるところまで下がり、赤字ぎりぎりの価格で提供されているでしょう。

　このような状態で、自分の会社だけが価格を上げることができるでしょうか？　答えはノーでしょう。

　では、価格以外の差別化できる要因を自社のおしぼりにプラスして、価格を上乗せできるでしょうか？　たとえば、香りつきのおしぼりや、高性能の殺菌おしぼりというものです。

　これは、消費者（お客）がおしぼりの価値をどこに求めるかによります。飲食店において、お客さんとしては手を拭くことができれば十分であり、それ以上の価値を求めることは無理がありそうです。香りがついているおしぼりや、殺菌おしぼりと銘打って、価格が高ければ、飲食店は安いノーマルおしぼりを選ぶことになりそうです。

　このところは議論の余地がありますが、それほど可能性は高くなさそうです。第一の論点は、価格を上げることは現時点では難しそうだ、ということです。

　次に第二の論点ですが、いったんこれは飛ばして第三の論点について先に述べます。

■1人あたり／1軒あたり使用量を増やせないか？

　これも直感的に難しそうです。お客としては無制限におしぼりを使うことができればうれしいですが、飲食店側からみればそれはコ

ストでしかありません。飲食店としてはおしぼりコストはできるだけ下げたいはずです。なかには、コストのかかるタオルのおしぼりを廃止した飲食店もあるはずです。

おしぼり業者として、お客さんの行動を直接的にコントロールしたり啓蒙したりすることができない以上、1人あたりのおしぼり使用量を増やすのは難しそうです。

次に、お店1軒あたりの使用量を増やすという方向性はどうでしょうか。そのお店のお客さんを増やすことによっておしぼり使用量は増えます。ですから、マーケティング協力などをしてお店を繁盛させるというのが1つの解です。

しかし、現実的にはおしぼり業者にそんなノウハウはないでしょうし、仮にできるとしても、コストに見合わなそうです。

この方向性は、あまり現実的ではありません。

■納入先を増やせないか？

おしぼりを使ってもらう店舗を増やせないかという考え方です。納入先を増やすには何にも増して営業です。ただ、おしぼりの営業は強化したからといって、投入した営業力に比例して納入先を拡大できるものでしょうか？　そうだとすれば、営業力を強化してもよいでしょう。

おしぼりの商品特性を考えましょう。先ほど説明したように、おしぼりはコモディティ化した商品で、価格くらいしか競争できる要因がありませんでした。その価格もぎりぎりまで下がっているといえます。

すると、営業マンは、値引きもできなければ、性能をアピールすることもできません。そういうなかで拡販していくのは容易ではありません。それこそ接待、寝技、なんでもありでなんとか入れても

らうという営業になってしまうのではないでしょうか？

経営者としては、投入した営業力に比例するリターンが得られるとはいえないと結論づけることができそうです。

ただ、1つアイデアはありそうです。おしぼりというのはコモディティ商品で性能も価格も似たようなものといいました。ならば一度納入を決めてしまえば、他社に乗り換える動機はさほどないのではないでしょうか？

そうだとすれば、新規開業のお店にいちばん乗りで営業に行って、なんとか納入を決定してもらうという営業手法は有効と思われます。

飲食店は、衛生関連の許可がいるでしょうから、役所の届出などの情報をうまく手に入れる方法があれば、**競合より早い段階でのアプローチにより、先手を打つという営業ができるかもしれません。**

　以上は、すでにタオル地の布おしぼりを使っている顧客を取っていくという考えでしたが、次にまだ布おしぼりを使っていないところで、布おしぼりを導入する余地がないかを考えます。

　まずは、紙おしぼりを使っているところに新しく布おしぼりを売るということです。これは単純に考えても難しそうです。紙おしぼりを使っているところはコスト重視から紙にしているわけですから、高コストの布おしぼりに転換する動機はあまりなさそうです。

では紙おしぼり並みの価格が実現できるかというとそれも無理があります。

紙おしぼりと布おしぼりでは原価構造が違います。 紙おしぼりは単純な工業生産物です。つまりたくさんつくればつくるほど規模の経済が働いて安くなる商品です。それに比べて布おしぼりは、おしぼりを回収して洗浄して再度納入するというモデルで、どちらかと

いうと**サービス業に近い**といえます。

サービス業のコストはおしぼりそのものの原価よりも、輸送費や人件費が主体だと考えられます。これを劇的に下げるのは難しそうです。

資本さえ許せば、大規模化というのもあり、かもしれません。布おしぼりは小規模業者が零細にやっていたからコストが高かったのかもしれません。紙おしぼりと同様に、工場生産品として、大量につくって、大量に販売する。そうすれば、紙おしぼりと同様とまではいいませんが、かなり安くすることができるかもしれません。**布おしぼりの大規模化**です。

最後に考えるのは、布おしぼりを使っていない飲食業以外の業態に拡販していくという方向性です。現在はおしぼりを使っていなくても、おしぼりがあるとうれしい場面はいくつかありそうです。

たとえば、工事現場です。工事の合い間におしぼりが使えると非常にうれしいでしょう。または、美容院でしょうか。すでに美容院ではおしぼりが使われていると思いますが、飲食業に納入している業者が納品しているかどうかはわかりません。

美容院では、アロマおしぼりや、殺菌おしぼりなどの高性能おしぼりを開発することで、価格を上げることができるかもしれません。

あとは、パチンコ店でしょうか。パチンコ店であれば十分な購買力もあり、顧客サービスとしておしぼりは十分考えられます。

ほかにもいくつか市場は見つかりそうです。

結論としては、3つの論点を考えてみたところ、一番可能性のあるのは、**飲食店以外のマーケットへ進出**していくということのように思われます。新しいマーケットであれば、たとえば美容院などの

ように付加価値をつけたおしぼりが受け入れられる余地もあり、価格を上げるというオプションも同時に検討できそうです。

Q14

読売新聞の売上げを増やすためにはどうすればいいでしょうか?

新聞事業ということに限定し、テレビやラジオなどは範囲外とします。
また広告収入は考えず、
新聞の販売収入を増やす方法のみを検討してください。

HINT

①新聞の商品、価格、競合との差別化、代替品、販売チャネルなどのポイントを押さえて読売新聞のおかれている事業環境を整理しましょう。
②マーケティングの4Pなどのフレームワークをつかって分析してみてもよいでしょう。
③最終的には考えられるオプションを複数だして、どれがベストか結論をだしましょう。

A1.4

まずは、読売新聞の基本的なデータを確認しておきましょう。世界で最も販売数が多い。約1000万部。

世帯普及率：読売新聞20.13%、朝日新聞16.45%、毎日7.89%、日本経済新聞5.59%

※重複購読があるため、普及率となっている。購読料は、大手3紙は横並びで月3007円。日本経済新聞のみ3568円。

さて、読売新聞の売上げを増やす策を考えます。前提として、新聞事業に限定して考えるというところを確認します。新聞はやめてテレビに集中という解答はNGとします。また、広告収入については考えなくてよいことにしましょう。

最初に考えることは、売上げを増やすということのブレイクダウンです。「売上げを増やす」は、3つの要素にブレイクダウンできます。

①数量を上げる。
②値段を上げる。
③客単価を上げる。

これら3つは互いにダブっていることはなく、漏れもありません。つまりMECEになっています。この3つの論点を順番に検討していくことで、「売上げを増やす」という課題に対して**抜け・漏れなく論理を展開していくことができます。**

売上げを増やすという場合は、まずこの3つのMECE分解がたいていの場合に適用できます。**「売上げ増の公式」**とでもいっていいでしょう。売上げ増の場合は、まずはこれを当てはめてみて、しっくりくるかどうか考えてみます。

図2-14-1　読売新聞の売上げを増やす方法

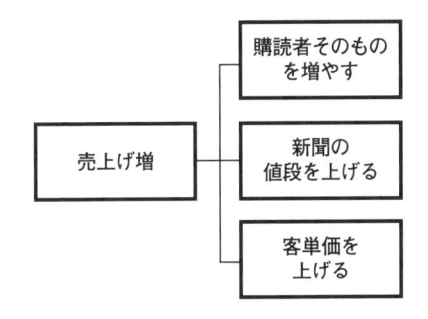

```
                    ┌─ 購読者そのもの
                    │   を増やす
                    │
      売上げ増 ─────┼─ 新聞の
                    │   値段を上げる
                    │
                    └─ 客単価を
                        上げる
```

今回も、この「売上げ増の公式」を、読売新聞の場合に適用してみましょう。

①の数量を上げるは、新聞の場合は、購読者を増やすということになります。売上げ増の場合、何にも増して数量を増やすことができれば、一番有利です。**まずはこの論点を最初に議論すべきです。**

②の値段を上げるは、商品の単価を上げるということです。新聞の場合は、購読料を値上げするということになります。

③は客単価を上げる、つまり購買1回あたりの買う量を増やすということです。新聞の場合単一製品なので、買う量を増やすというのは当てはまりにくいですが、論理的には考えられるオプションなので、可能性がないか検討してみることにしましょう。

では、1つ1つ詳細に検討していきます。

■購読者を増やす

購読者を増やすにはどのような方法があるでしょうか。ここでは、もう少しブレイクダウンしてみます。購読者といっても、新聞をすでに取っている人を読売新聞にスイッチさせるという方向性と、新

聞を取っていない層に新聞を買ってもらうという2つのパターンが考えられ、それぞれに方法は違います。

ターゲットを〈他紙購読者〉〈新聞未購読者〉の2つにして、現在の新聞販売がどのような状況になっているのかを分析してみましょう？　漏れをなくすために**マーケティングの4P**の枠組みを利用してみます。

マーケティングの4Pとは、マーケティング活動を論じるときの主要な論点の4つを、それぞれの頭文字をとって表したものです。この4PもMECEになっていますから、漏れ、ダブりのない論点をセットするのには便利です

①Product（商品）
②Price（価格）
③Promotion（販促）
④Place（チャネル）

では4Pを使って、現在の読売新聞の状況を分析してみましょう。まずは**Product**ですが、新聞というのは全国紙になればなるほど特徴が薄れてどれも同じになっているように思われます。1面の記事や政治・社会欄はほとんど同じ。社説に多少色があるものの、社説までじっくり読む人は少ないといえます。

全国紙の4つの中でいうと、日本経済新聞のみが「経済」という特徴を打ち出しています。では読売新聞は、経済といった特徴を打ち出すべきなのでしょうか？

日本経済新聞は、普及率をみれば5.59%と、読売新聞の4分の1程度です。大手の読売新聞に勝てないから、経済という差別化キーワードを打ち出して5%のシェアを取っているともいえます。

購読率20%のリーダーの読売新聞としては、「経済」という狭い

図2-14-2　マーケティング4Pで分析する

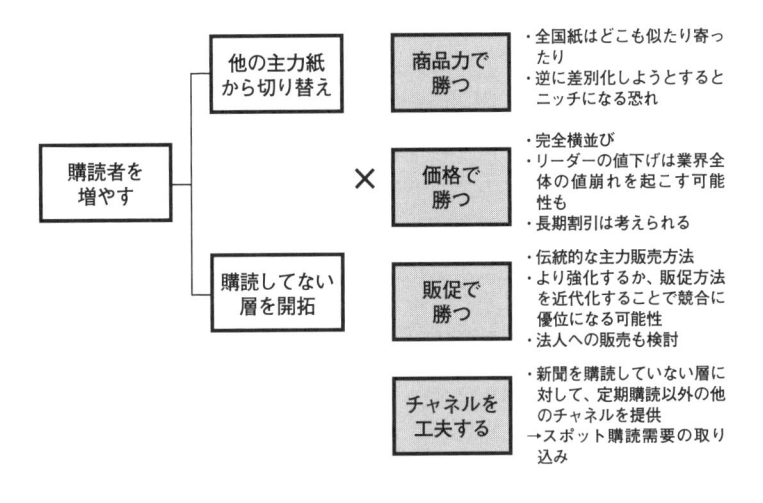

```
                  ┌─ 他の主力紙      ┌─ 商品力で ─ ・全国紙はどこも似たり寄ったり
                  │  から切り替え    │  勝つ       ・逆に差別化しようとすると
                  │                  │                ニッチになる恐れ
                  │                  │
 購読者を ────────┤         ×       ├─ 価格で    ・完全横並び
 増やす           │                  │  勝つ       ・リーダーの値下げは業界全体の値崩れを起こす可能性も
                  │                  │             ・長期割引は考えられる
                  │                  │
                  │                  ├─ 販促で    ・伝統的な主力販売方法
                  │  購読してない    │  勝つ       ・より強化するか、販促方法を近代化することで競合に優位になる可能性
                  └─ 層を開拓        │             ・法人への販売も検討
                                     │
                                     └─ チャネルを ・新聞を購読していない層に対して、定期購読以外の他のチャネルを提供
                                        工夫する  →スポット購読需要の取り込み
```

ターゲットに絞っていくのは逆に購読者の層を狭める要因になるかもしれません。

次のPriceは、どうでしょうか。価格を下げて競合に勝つ方法はあります。ただ、ここでの目的は売上げを増やすことです。価格を下げた場合、その分購読者をさらに増やすことができなくては、本来の目的から外れてしまいます。リーダーである読売新聞が価格を下げるとなると、朝日新聞、毎日新聞も同調してくることでしょう。となると、全般的に価格が落ちるだけともいえます。

ただ、割引策として、1つ考えられるのは長期割引です。新聞の販売において、他紙からのスイッチがかなり多いとすれば、新しく顧客を他社から引っ張ってくることに力を入れるよりも、既存顧客が離れるのを阻止するほうが、容易にシェアを維持することができるように思います。そのための典型的な方法が長期購読者への割引

制度でしょう。

　5年間購読すれば半額くらいになるなど、雑誌の世界では長期購読者への思い切った割引制度があります。新聞でも導入できそうです。

　次のPromotionは、新聞が顧客獲得に伝統的に力を入れてきた方法ともいえます。全国に販売店（新聞を配る拠点）を設けて、戸別に販売員がドブ板セールスをしています。あまり商品に差別化要素がなく、価格もほとんど同じであるため、過激なセールス合戦が展開されているといえましょう。「3カ月だけとってください」「洗剤を2つ付けます。いや3つ付けましょう」という感じです。

　これらのセールス部隊をもっと過激にさせるという方法が1つ、またはもう少し科学的なセールス方法を取り入れることも考えられます。新聞セールスが旧態依然ならば、もう少し近代的なセールスにすることで他社と差別化ができるかもしれません。

　また、数は少ないかもしれませんが、法人顧客を掘り起こす作戦もあるかもしれません。法人で定期的に新聞を取っているところはそれほど多くはないはずです。戸別訪問の営業力を生かして、地域の法人にローラー作戦を仕掛けるという策はありうるかもしれません。

　最後にPlace、これはチャネルです。現在の新聞は、戸別訪問によるセールスと、宅配による配送が中心です。新しいチャネルとして、駅やコンビニ、もしくは自動販売機というセルフチャネルに注目するという方法です。これは主に、新聞を購読していない人に対して、他のチャネルを提供することで、敷居を低くするということです。毎日は必要ないが、たまに買う、という需要を掘り起こす方法です。

図2-14-3　新聞を読まない3つのギャップ（仮説）

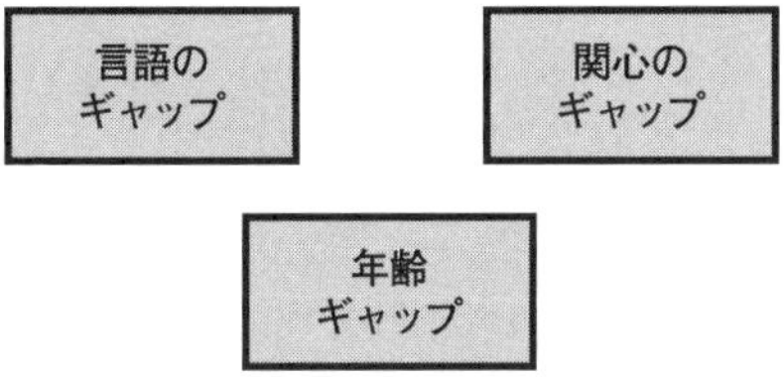

```
┌──────────┐      ┌──────────┐
│  言語の   │      │  関心の   │
│ ギャップ  │      │ ギャップ  │
└──────────┘      └──────────┘

      ┌──────────┐
      │  年齢    │
      │ ギャップ │
      └──────────┘
```

■新聞を読まない層を分析する

　最後に、新聞を読んでいない層を、もう少し分析してみます。ここでは3つのギャップを切り口にしてみます。**関心のギャップ、言語のギャップ、年齢のギャップです。**

　まず、関心のギャップです。社会に対する興味がないという層、もしくは関心度が薄くテレビやインターネットで十分という層でしょう。これに対しては、正直あまりよい方法が見つかりません。

　売上げを増やすという方向の論点からは少しずれますが、新聞社の状況というのは、売上げを伸ばすという状況ではなく、いかに売上げを守るか、という状況であるとも考えられます。かつて新聞を購読していた彼らが、新聞を購読しなくなった、止めてしまったということにより、売上げを大きく落としているといえます。

　もし、この層の数が非常に多いのであれば、購買数の拡大の前に、この層の顧客離れを食い止めることに力を入れるべきです。

　ただ、いくら顧客離れが激しいといっても、インターネットの普及などの外部環境は変わりません。関心が薄い彼らにも買ってもらえるように、コンテンツを絞り、価格を抑えた「シンプル版」を出して、それを購入し続けてもらうという方法もあるかもしれません。

たとえていうと、クレジットカードのゴールドカード保有者が解約しようとすると、単に解約されてはつらいので年会費無料でのカードに切り替えて、保有は続けてもらうようにするというイメージです。

完全に購読解除されて、関係性が切れるよりも、多少なりとも買ってもらったほうがいいに決まっています。アイデアとしては、月に1000円でテレビ欄＋知っておくべきニューストップ10のみをシンプル版として販売するといった具合です。

仮に新聞を読まない層にシンプル1000円版が売れたとして売り上げを計算してみます。現在全国紙4紙を合計すると購読率が約50％。その他の地方紙などが15％のシェアがあるとすると、合計70％。残りの3割は新聞を未購読者と仮定しましょう（複数紙の重複購読は誤差として無視します）。

これらのうち3人に1人に1000円版を買ってもらうとします。この市場は約500万人です。1000円に500万人をかけて、約50億円／月の市場です。現行の読売新聞の売上げが月3000円で1000万部出しているとすると300億円。**最大50億円の市場は十分魅力的**でしょう。

また、これを行う場合、既存の購読者が1000円版に乗り換えてしまう危険性もありますので、内容を十分に吟味する必要があります。

さらに割り切って、これらの無関心層には別のものを売るという方法もあるかもしれません。新聞社は販売店を通して、全国の一戸一戸に朝夕に新聞を届けることができる強力な流通チャネルを持っています。これと強力な勧誘員を組み合わせれば、新聞以外のモノを売ることも可能ではないでしょうか。

ほかには、言語で切るとどうでしょうか。日本語の新聞は読めな

い層がいます。日本の中の外国人比率がどのくらいかわかりませんが、今後非常に増えていくことを考えて、中国語版を出すこともありえます。中国語圏の人が1％いたとして、売上げアップは最大1％にとどまりますが、今後成長が見込まれるかもしれません。

　もう1つは年齢の軸です。新聞を読むのは基本的にはある程度育ってからです。小学生以下の子供や、中学生でもあまり読まないかもしれません。これらのジュニア層に対して、よりやさしい内容の子供新聞を提供するのはありかもしれません。もしくは、新聞ではなく、教育のためのツールを提供することも考えられます。たとえば、計算ドリルのような、「毎日配達」が重要となる教育コンテンツを配送するというものです。

　5歳以上15歳以下の子供が、全国に1500万人いるとして、それらに対して、同様に月3000円の子供新聞なり教育コンテンツを販売できるとしましょう。計算すると**450億円の市場になります**。非常に魅力的です。

　ここまでの考察をまとめます。
◆すでに新聞を取っている層に対して
　・市場は飽和気味。急激なシェア拡大は難しそう。
　・販売方法でのよりいっそうの工夫、長期割引でのリテンション（顧客維持）など、小さな工夫の積み重ねが必要。
◆新聞を取ってない層に対して
　・新聞離れに対する対策はまず必要。
　・一定の関係を保ち続けられる少額商品または新聞以外の商品の販売。
　・いままで対象としなかった分野への拡大（子供、外国人、法人）。

■購読料を上げる

　購読料、すなわち単価を上げられるのは、いくつかの場合に限られます。**まずは市場を完全に独占している場合**。たとえばマイクロソフトのような会社です。およそのパソコンはウィンドウズを搭載しており、マイクロソフトはこの市場で圧倒的な力を持っています。マイクロソフトがウィンドウズを値上げするといえば、顧客は少々の値上げも許容せざるをえないでしょう（マッキントッシュに乗り換える人もいるかもしれませんが……）。

　その他では、競合に比べて品質面やブランド面で、非常に差別化がされているため、価格を上げることができるという場合です。

　たとえば万年筆のモンブランです。モンブランは、昔は普通の筆記具メーカーでしたが、ブランドグループのリシュモンの傘下に入ってからは、ブランド化を推し進めました。万年筆だけではなく、時計やアクセサリーといった分野にも進出し、かつての万年筆のイメージは薄くなっています。その結果、全般的に価格を上げることができました。競合だったペリカンなどの万年筆にくらべて、製品自体は以前と変わりないのに、ブランド化によって大幅に価格を上げることができたのです。

　さて、翻って読売新聞の場合はどうでしょうか。まず市場を独占しているか、もしくは市場に対するコントロールができるかというと、そうとはいえません。他の新聞と非常に激しい競争をしており、新聞の勧誘員は、洗剤を付けたり、1カ月間の購読料を無料にするからなんとかお願いします、といった手法で売り込んできます。私が子供のころは、後楽園球場の巨人戦のチケットも配っていました。

　また、商品の差別化という意味でも不利です。全国紙は日経新聞を除いてあまり特徴がありません。読売、朝日、毎日、どれをとっ

てもあまり変わらず、結局、洗剤や巨人戦チケットなどで売り込んでいるわけです。

単純に購読料を上げるという方向性は難しいといえそうです。

■顧客単価を上げる

最後の論点は、**顧客あたりの単価を上げる**という方向性です。新聞の場合、商品が1種類だけなので、顧客単価を上げる方法が考えにくいのですが、論理的には検討するに値しますので、頭を柔軟にして、何が可能かを考えます。

まず同じ新聞を2つ取ってくださいとはいえません。となると、顧客単価を上げるには商品ラインナップを増やす必要がどうしても出てきそうです。

新聞では商品ラインナップといえば、夕刊があります。朝刊のみ購読している層に夕刊も取ってもらうという方法です。セットで取るメリットをもっと強調して、夕刊購読率を上げることができれば、客単価は1.2倍くらいになるかもしれません。

他に商品ラインナップを増やすにはどういう方法があるでしょうか。有力なアイデアは紙面の分割です。アメリカの新聞を読んだことがある人はピンとくるかもしれません。アメリカの新聞は、非常に分厚いです。読売新聞の3〜4倍の厚さがあることも珍しくありません。どうしてかというと、スポーツ、生活、金融、テレビなどの各ジャンルが独立していて、それぞれが10〜15ページくらいの冊子になっているのです。それが4、5冊まとまって、どかんと配送されるわけです。

読売新聞でも、これにならってジャンル別の別冊を多く発行することにします。スポーツ、家庭（料理やお酒や趣味など）、株、テレビ（映画、エンターテインメント）、ホリデイ（旅行やライフス

図2-14-4　客単価を上げる紙面分割（CATV型コンテンツ新聞）

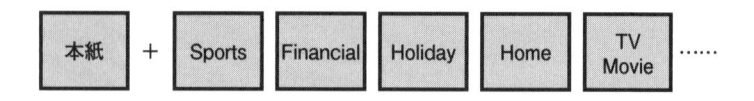

| 本紙 | ＋ | Sports | Financial | Holiday | Home | TV Movie | …… |

タイル）など。いま挙げたもので5つ。これを組み合わせてオプションとして追加できるようにします。

　これを**多チャンネル型**と名づけましょう。ケーブルテレビなどは、基本料のほかに、映画チャンネルを見るために＋700円、ニュースチャンネルで＋300円というように、オプション料金を組み合わせています。新聞も多チャンネル化するということです。単純な値上げは難しくても、このような形で付加価値の追加はできそうです。

　新聞でも専門紙、たとえば日経産業新聞や、日刊工業新聞、それにスポーツ報知新聞などは、読売新聞や朝日新聞より高い購読料を設定しています。それでも特定のターゲットに絞って専門の紙面を用意しているから高く売れるわけです。

　もちろん全国紙が特定のターゲットに特化してしまうと、対象が狭くなってしまい、購読者自体が減ってしまうのでNGですが、ケーブルテレビ型での「追加」ならば、ベースの購読層を保ちつつ、オプションで顧客単価を上げることができそうです。

　仮に、それぞれの別冊が1日あたり30円とすると、5つすべてを購読する人には150円のアップが期待できます。平均2つ購読があったとすれば、60円のアップです。現在の場合新聞一部が100円とすれば、**約60％（＋180億円）**の売上げ向上効果が見込めそうです。

図2-14-5　読売新聞事業の成長機会

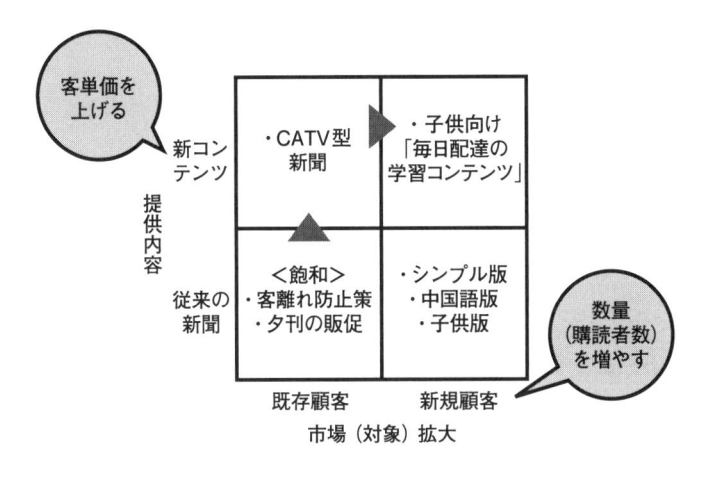

```
                          新コンテンツ
                    ┌──────────┬──────────┐
   客単価を           │・CATV型  │・子供向け │
   上げる            │  新聞    │「毎日配達の│
                    │          │ 学習コンテンツ」│
         提供内容   ├──────────┼──────────┤
                    │<飽和>    │・シンプル版│
                    │・客離れ防止策│・中国語版│    数量
                    │・夕刊の販促│・子供版  │   (購読者数)
                    │          │          │    を増やす
                    └──────────┴──────────┘
                     既存顧客    新規顧客
                          市場（対象）拡大
```

■ まとめ

①数量を増やす。
②値段を上げる。
③客単価を上げる。

　以上の3つについて、それぞれ検討してきましたが、読売新聞としては、①と③の方法が有力というのが結論です。①と③のなかでは、いろいろなアイデアが出ましたので、マトリクスにしてすっきりとまとめてみましょう。

　ここでは、**アンゾフの成長マトリクス**をアレンジして使ってみましょう。アンゾフのマトリクスとは、会社の成長機会を検討する際に便利なマトリクスで、事業アイデアを4つの分野で整理して分析します。軸となるものは、対象となる市場（顧客）と、自社の製品です。それぞれ既存、新規としてマトリクスをつくります。

横の軸はお客の対象を拡大することで「①数量を増やす」ということに対応しています。また縦の軸は新しいコンテンツを追加することで「③客単価を上げる」ということに対応した軸です。これにより今までの議論との整合性がとれます。

　左下：
　ここに入るのが、現在の新聞購読の顧客に対して拡販を試みるやり方でした。これに対してはいくつかの工夫は見られるものの、「それほどの成長機会はないのではないか？」というのが考察から得られた結論です。むしろ、顧客離れを防ぐ施策のほうが重要です。

　左上：
　ここは、既存の新聞購読客に、新しいコンテンツなどを提供する方向性です。代表的なものでは、紙面を分割しケーブルテレビ型のオプション売りにするというアイデアです。これにより顧客あたり単価を上げることができれば約180億円の効果が見込めます。

　右下：
　これは、新聞コンテンツを、新しい層に広げていくというものです。代表的なアイデアとしては、関心のギャップを埋められるよう「シンプル版」、中国語圏の外国人の増加を見込み「中国語版」、年齢のギャップを超えて「子供版」を出すの3つを提案します。シンプル版の発行は約50億円の市場が見込めます。

　右上：
　これは、新聞購買以外に、新しいものを売るという方法です。純粋に新聞販売店の配達チャネルと営業力を使って新しいビジネスを

興すというものです。

　この分野では、子供向けに「毎日配達の学習コンテンツ」を売るということができれば約450億円の市場がありそうです。

　これに順番を付けるとなると、**左上を強化すべき**と考えます。最大の理由は、従来の新聞という形態やコンテンツが飽きられてきているのであれば、対象市場の拡大策をとっても、やはり彼らにも飽きられる可能性があるということです。その上で、子供向けの学習コンテンツといった新しい地平線を開拓していくというのが、面白い方向性ではないかと考えます。

Q.15

JR新宿駅の改札口に設置されているコインロッカーの売上げを増やすための方策を考えてください。

縦4段（個）、横10個のロッカーとします。
料金は300円で12時間とします。
新宿駅がイメージできない場合は、
近くの主要ターミナル駅に置き換えて議論してください。
大阪、名古屋、静岡、宇都宮、新潟、どこでもかまいません。

HINT

①コインロッカーの売上げをいくつかのパラメーターに分解できますか？それぞれのパラメーターを向上させるための方策を、市場環境などを考えて議論しましょう。
②駅の利用者数を見積もれますか？
③コインロッカーはそもそも足りているのでしょうか？

A15

この問題は、少し変わったかたちで解説していきます。**実録風**です。

本書を書くにあたっては、各問題を、現役の戦略コンサルタントの方々と議論して、その結果をまとめるかたちで執筆しています。

実際に行われた議論の雰囲気や臨場感が伝わるような実録風の解説も、ふだんコンサルタントがどのような議論をするのかを知る参考になると思います。

筆者　T
戦略コンサルティングファーム　Kさん

K「まずは、少し前提を確認しようか。このコインロッカーは新宿にあるということでいいね。大きさはどうしようか？」

T「縦4段×横10個くらいにしよう」

K「料金はいくら？　コインロッカーの使用料はだいたいどのくらいだっけ？」

T「半日で300円くらいというところだろうか」

K「じゃあ12時間で300円ということにしよう」

T「まわりにはコインロッカーはあるのかな？」

K「このコインロッカーだけだったら市場競争にならなくてつまらないから、常識的に周囲100〜200mくらいの場所に10くらいコインロッカーがあるということにしよう」

T「よしOK。では何から考える？」

K「売上げを向上させるということだから、コインロッカーの売上げに関わる要素でツリーをいくつかに分解するよ。まずは、価格

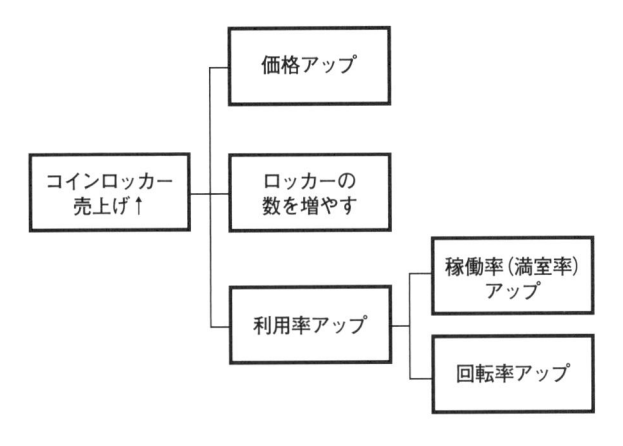

図2-15-1　コインロッカーの売上げに関する基本ロジックツリー

```
                    ┌─ 価格アップ
                    │
コインロッカー ─────┼─ ロッカーの
売上げ↑             │  数を増やす
                    │
                    └─ 利用率アップ ─┬─ 稼働率(満室率)
                                     │  アップ
                                     │
                                     └─ 回転率アップ
```

があるよね。次に、ロッカーの数、そして利用率というか回転率。それは2つあるね。まず全体に対して何個使われているかという客室稼働率とでもいうべきもの。ロッカーに満室という表現が適切かどうかはともかくとして、つまり満室かどうかというもの。それから1日で1つのロッカーが複数の人に使われるほうが儲かるから回転率というパラメーターがあるね。おそらくこれだけだと思う。**すべて掛け算すれば、ロッカーの売上げになるからね**」

　T「ほかにはないかな？　なさそうだね。じゃあ、それぞれのパラメーターで向上の余地があるかどうか考えていこうか？　どれからにしようか？」

　K「上からいこうか。単価でいこう。単価は現在300円だよね。これを上げられるのか？　うーんどうだろう」

　T「上げられるかどうかは、**競合との関係によるよね**。まずロッカーって価格で選ぶのかな。ロッカーを複数探して価格が安いとこ

ろを決めるのかな」

K「近くにあるところで入れてしまうか、それともあたりを探して一番安いところに入れるかだね。それは、リピーターなのか、新規客が多いのかによるなぁ。リピーターが多ければある程度価格は調査していて得なほうに入れるし、新規客が多いなら面倒くさくて近くのロッカーに入れるかもしれない。ここは要調査だけれども、ロッカーを普段よく使う人はリピーターのほうが多いような気がする。単純に改札口近くという地の利があるからといって価格を上げても、競合ロッカーに入れられてしまうかもしれない。それから、預けない人も増えるかもしれない。ロッカーに入れる人はたぶん買い物とかの際に重い荷物を預けたいから利用するんだろうけれど、どのくらい重ければロッカーに入れるのか、**というところの弾力性は知りたいところだね**」

T「そもそもロッカーの需要はどうなんだろう。駅には人が非常に多いけれども、コインロッカーはそれほど多くない。**常に満杯だとすれば、そもそも現在の価格設定が安すぎるという可能性がある。**競合も合わせて値上げになるかもしれないけれども、全般的に値上げする余地があるかもしれない。それに、需要が多いようならば、単に数を増やすということもできる」

K「稼働率との関係もあるね。ちょっとそれを考えてみようか。JR新宿駅は首都圏のターミナル駅だから、相当な人が利用しているよね。数千というオーダーではないでしょう」

T「利用者を見積もってみよう。新宿駅の路線を考えて……まず山手線をベースに見積もる。3分に1本で、毎時20本、上下線でその2倍、1車両に100人、10両編成で18時間運行だと、1日72万人。同じような利用者数の路線が総武線と中央線と2つあるから72万人×3で210万人。あ、埼京線もあるか。ほかにもなんとかライナー

とか出ているよね。とにかく12番線くらいまであったような気がする。山手・中央・総武以外の3路線は、山手線の半分の利用客として、72万人×3＋36万人×3＝合計324万人くらい」

　K「すごい人の数だなぁ。やっぱり新宿はすごいね」

　T「324万人の20％くらいは新宿で降りるとして、65万人くらい。出入り口が5つあるとして、1つにつき13万人が利用だね。コインロッカーの利用率を0.5％としたら、650人という計算になる」

　K「このロッカー 4段×10個だっけ。40個だよね。近くに10カ所あるとして、400個か……。まあ、そんなところなのかもしれない。全員が丸1日使うわけじゃないから、一杯一杯っていうことはないんだろうね。今のロッカーの数が極端に少ないということはなさそうだね。とにかく稼働率はできれば調査したいね」

　T「となると、値上げという方法はなさそうだね。それにロッカーの数を増やすというのも、すでにロッカー数としては適正水準にありそうだ。これ以上は増やしても意味がないかもしれない」

　K「ロッカーはそれほど満室ということはなさそうという推論がでたけど、時間帯別に少し調査したいところだね。時間帯によっては満室になるところも出てくるはず。競合も調査して、もし競合も満室になるようなところがあれば、時間帯によっては、料金を変動させるということができるかもしれない。ピーク時は上げるのも手だし、埋まっていない時間帯は下げてでも埋めるべき。そもそも一律に300円という料金設定がおかしなところだ」

　T「たしかに**需要に合わせて料金を変えられるしくみがあれば、売上げを最大化できるはずだね**。最近は携帯対応のロッカーなどもあるみたいだし、地下鉄ではPASMO（ICカード）で使えるロッカーもあって、液晶画面がついているなど、結構IT化が進んでいる気がする。柔軟な設定は可能なはずだ」

K「それはできそうだ」

T「ほかにも、固定料金というのが悪いなら、**従量課金にするというのはどうなの？** いま8時間で300円だけど、皆が皆8時間使うわけじゃないから、2時間で200円とか、1時間で150円とか、時間によって従量制にしたほうがいい。短時間の利用では安くして、3時間くらい預けていると300円になって、8時間だと600円くらいとられるとか。そうすれば、利用したい時間が長い人は競合に流れて、こちらには短時間利用の客がくるはず。おそらくあの300円というのは、100円硬貨を物理的に入れるところからきているんじゃないか。それにPASMO対応のロッカーなら、10分ごとでも10円単位でも課金できるわけで、100円コインじゃないとダメという制約がフリーになればいろいろ考えられるはず」

K「仮に計算してみようか。現在の客が、2時間以内が25％、3時間以内がもう25％、残りが平均6時間としようか。それで18時間稼働。100％埋まる前提で考えると……」

K「ざっと計算するとこんな感じで、**1.5倍になるね**。うまくいった場合だけど。長く入れる客が現在は多いというのが前提で、でも料金が一定だから入れたままにしているだけで、従量制になれば、すぐに引き取りに行く、という前提があればの話だね。どのくらいの時間預けている人が多いのか？ それから本当はどのくらいで済むはずなのか？ そのあたりはぜひ調査したいところだね」

T「他には考えられるかな？」

K「稼働率だけど、この4段×10個の区割りは非効率な気がするなぁ。大きな荷物は入らないし、大きな荷物を入れたいという客の機会損失がある」

T「たしかに。小さいロッカー、大きいロッカーが併設してある

表2-15-1　従量課金にした場合のシミュレーション

平均利用時間	ロッカー数	単価（円）	回転	売上げ（円）
3時間	200	300	6	360,000
6時間	200	300	3	180,000
				540,000

平均利用時間	ロッカー数	単価	回転	売上げ（円）
1時間以内	100	150	18	270,000
2時間以内	150	200	9	270,000
3時間以内	150	300	6	270,000
				810,000

ものもあるけど、大きなロッカーは埋まっていて、小さいロッカーには入らず困るということもある。逆もあって、小さなスペースでいいのに、大きなロッカーしか空いてなくて料金が高いとか」

K「箱の大きさを可変にはできないか。うまくつくって制御すれば、縦の4つを1つとして使えるような技術はできそうな気がする」

T「といったところでしょうか。あとは、稼働率を上げるということに関して、ロッカーをもっと使ってもらうような工夫ですね。駅にコインロッカーマップを作って位置がわかりやすいようにするとか、コインロッカーの利便性を高めるようなこと、たとえば携帯電話で使えるようにするとか、その手の利用者の利用率を上げるものすべて。これだけ駅に来る人がいるのだから、何か少しでも工夫して、駅の利用者全体に対して0.5％でも多くロッカーを使ってもらえば、計算上は650人も増えることになる」

K「それはいろいろ考えられるね。コインロッカーは隅のほうにあって忘れがちだけど、常に改札を出るとロッカーがあるぞという表示を見せるようにすれば、潜在意識に定着するかもしれない」

T「あとは、スーパーマーケットとかにあるのだけど、冷凍保存

できる機能にするとか。冷蔵庫ロッカーは使う人いるかな？　多機能化するという方向性だね。パソコン充電できるロッカーとか、何かわからないけど、もう少し荷物を預けるという方向性からずれたようなもの」

　K「それはおもしろいね。いろいろ可能性がありそうだ」

　T「いままでの議論をまとめると、ロッカーの売上げを上げるには、まず3つの方向性があって、単価、ロッカー数、利用率（客室稼働率、回転率）。このうち単価はむずかしいし、ロッカーの数も実はすでに適正かもしれない。時間帯別に料金設定することで客室稼働率と価格を調整すれば収益を最大化することができるかもしれない。従量課金の導入で単価や回転率を調整すれば1.5倍もありうる。また、区割りを自由に変えられる高機能ロッカーで空室の状態を最小化する。あとは、もっと利用してもらうためのプロモーション策ということだね。**どれが一番有望かな？**」

　K「ベースとしてのプロモーションはとにかく考えて、あとは、さっきもいったようにPASMO系で柔軟に料金設定できるようになったというIT化の恩恵を最大限に生かして、料金設定を見直すことだね。どういう料金体系にするかは、利用者の層を調べてシミュレーションしないといけないが」

　T「携帯電話の料金のように、利用時間帯と利用時間と1分あたり単価みたいなかたちで。あれは、かなりシミュレーションを重ねて、収益が最大になるようにコンサルタントが考えていますよね」

　以上のような議論になりました。コインロッカーの場合はそれほど取れる施策のオプションがないので、このくらいの発想ができればよいかと思います。

Q16

ある地方にある水族館では
ここ1年で客が25%も
減ってしまいました。
どのような原因が考えられるでしょうか？
また対策も併せて考えてください。

水族館は郊外に立地し、客は基本的に自動車でやってくるとします。
また、2年ほど前に近くに大きなショッピングモールができて、
そこにはレストランやアミューズメント施設も併設されています。
水族館は新設のものではなく10年ほど前からある普通の水族館で、
入館料は大人750円、子供（小学生以下）300円とします。

HINT

①そもそもショッピングモールに客を取られているのかどうか検証できますか？
②取られているとしたら、どうしてですか？　取られてない部分があるとしたらどこですか？
③そもそも水族館のビジネスモデルとはどういうモデルですか？
　新しいビジネスモデルの導入の余地はありませんか？

A16

　もちろんこの問題の解答として、いきなりアイデアを出すのはダメです。「イルカを飼う」「巨大なサメを飼う」という類のものです。

　個々の施策を検討する前に、全体をつかんでいくことが大切です。

　最初に議論したいポイントは、なぜ「1年間で客が25%も減ったのか？」というところです。まず客が減った原因を特定していかなくては、対策を考えたところで的外れになってしまいます。**原因の究明にまずはウエイトを置くことです。**

　さて、水族館の客が減る原因は何が考えられるでしょうか？

　原因の究明というところで、今回は近くに大きなショッピングモールができたという想定をしていますが、ここだけピックアップして、「原因はショッピングモールに違いない」と決めてかかるのも問題です。

　一方、「水族館は時代遅れ」と決めつけるのも全体感に欠けます。

　原因に関しても、まずは、全体から議論していくということが大切です。

　全体感をつかむには、この問題を、「水族館に来る客の数は何人？」というフェルミ推定の問題に置き換えてみましょう。これは、水族館の来客数というのはどのようなパラメーターに分解されうるのかを考えてみるということです。

　　ある水族館の来客数＝対象地域の人口×レジャーに行く割合
　　　　　　　　　　×水族館を選ぶ割合

　このように分解することができそうです。もし水族館が複数ある

図2-16-1　水族館の客が減った原因は？

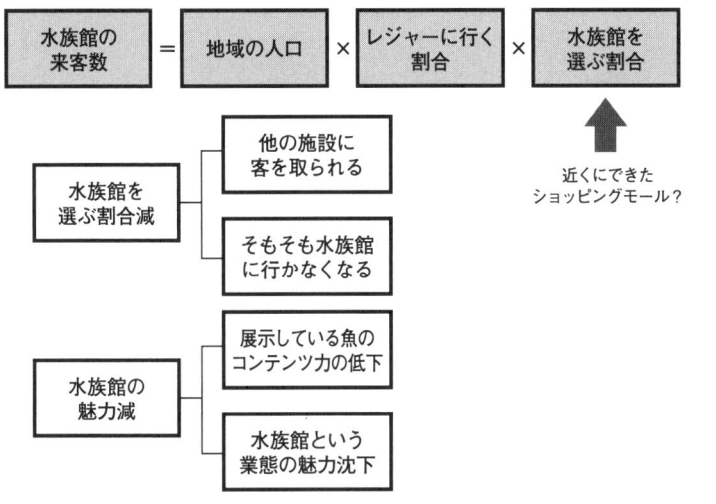

```
水族館の来客数 = 地域の人口 × レジャーに行く割合 × 水族館を選ぶ割合
                                                      ↑
                                                   近くにできた
                                                   ショッピングモール？

水族館を選ぶ割合減 ─┬─ 他の施設に客を取られる
                  └─ そもそも水族館に行かなくなる

水族館の魅力減 ─┬─ 展示している魚のコンテンツ力の低下
              └─ 水族館という業態の魅力沈下
```

場合は「その水族館を選ぶ割合」を付け足す必要がありますが、水族館は地域に1つだけということにしましょう。

この推定式により、来客数を左右するパラメーターがわかりました。では「1年間で25％減る」には、どのパラメーターに要因がありそうでしょうか？

1つ1つ考えて見ましょう。

まずその前に、簡単にこの水族館のプロフィールを想定しましょう。場所は中堅の都市、たとえば静岡あたりの郊外に位置するとしましょう。基本的には自動車で来館し、ごく近くにそこそこの規模のショッピングモールができたというようにします。水族館はショッピングモールよりも前からある水族館で、特に最新のものではないとします。

■対象地域の人口が減っている？

まず考えられるのが、地域の人口が減っているということです。人口が減っていれば地域全体が沈没しているといえます。ただ、常識的に1年間で25％もの変動があるというのは考えられません。もしそれほどの人口減が考えられるとすれば、高速道路や、駅などのインフラが変わり、地域の人の流れががらりと変わってしまった、ということが考えられそうです。そのレジャーエリアへの人口流入がマクロでどのくらい変わってきているのかという**外部要因は一通り調査する必要はありそうです。**

ここでは、近くにショッピングモールができたというヒントがあります。地域人口が増えなければ、ショッピングモールを新規につくるはずもないですから、地域の人口が減っているという要因は考えにくそうです。

■レジャーに出かける割合が減っている？

次に考えられるのは、景気の減速などで、レジャーそのものへ出かける割合が減るということです。支出を抑えるために、レジャーを控える、買い物を控える、といった行動がどのくらい水族館の来客数に影響するかということです。

多少の影響があるかもしれませんが、新しくショッピングモールができたということから考えると、むしろレジャー需要や消費需要は増えることはあっても、急激に減少するとは考えられません。

■水族館を選ぶ割合が減っている？

ここまでを整理します。地域の人口は増えて、ショッピングモールといった消費需要もあるのに、水族館の来客数が急激に落ち込ん

でいます。となると、理由は客が水族館を選ばなくなったということです。**そこにフォーカスして議論をしていきましょう。**

水族館を選ばなくなった理由を分解すると、「他の施設に需要を取られた」「水族館自体の魅力が低下した」の2通りが考えられます。この2つの方向性を深掘りします。

ここまで読まれた皆さんの、「なんだ結局は、ショッピングモールに取られたか、水族館がさびれたか、のどちらかじゃないか？くどくど議論しているけど、最初に考えたことと変わらないじゃないか？」という批判も聞こえてきそうです。

しかし、水族館の来客に関係するファクターを洗い出して、可能性を検討したうえで、こうした結論をつけるのと、単に思いつきで、結論を出すのではまったく違います。結論が同じならば一緒という考え方では、この手の問題を議論する意味がありません。同じ結論を出すにも論理的に筋道を立てて考えるということが大事なのです。

少し話がそれてしまいますが、友人のある戦略コンサルタントのエピソードを紹介します。

彼が学生だったときに、戦略コンサルティング会社の選考をいくつか受けていて、論理的に考えるという壁に直面していたときでした。ある会社の懇談会の会場で、彼はパートナー（役員）クラスのコンサルタントに恥を承知で素朴な質問をしたそうです。「論理的に考えるコツを教えてください」と。

そのコンサルタントが答えたことはとても興味深いことでした。彼は何かが開けた気がしたそうです。その言葉とは次のようなものです。

「当たり前のことを当たり前のように考えてみなさい。当たり前のことでも、1つ1つ論理的に詰めていきなさい」

彼はそのあとコンサルティング会社に就職しコンサルタントになったのですが、大きなプロジェクトを任されるようになった今でも、初心にかえってこの言葉を大事にしているそうです。

少々話がそれましたが、当たり前のことを当たり前のように1つ1つ検討していくことにします。

今の議論は「他の施設に需要を取られた」「水族館自体の魅力が低下した」の2通りの可能性を検討することです。順番にいきましょう。

■他の施設に需要を取られた？

この可能性はつまりはショッピングモールに客を取られたという可能性です。一見するともっともらしい可能性ではあります。しかしもう少し突っ込んで考えてみる必要がありそうです。

水族館に行く目的や客層を少し考えてみましょう。水族館の主要なお客さんは「子供づれのファミリー」と「デートなどのカップル」が主要だと推測できそうです。純粋に魚の生態を楽しみたいマニア層はいるかもしれませんが、数は微々たるものですし、そういう人が離反するということは逆に考えづらいといえます。

次に、ショッピングモールに行く人を考えて見ましょう。ショッピングモールの主要顧客も「子供づれのファミリー」「デートなどのカップル」といえそうです。客層はかぶっています。客層がかぶっていることから、ショッピングモールに客を取られた可能性はありそうです。**しかし、本当にショッピングモールは水族館の競合なのでしょうか？**

もう少し考えてみます。水族館に来る目的は「見る」という目的です。魚を見て楽しむ。つまり、映画館や、ショーといったものと同じ目的です。

一方でショッピングモールへ来る目的は基本的には「買う」です。お店でモノを買うというのが基本的なニーズです。

　もちろん最近のショッピングモールは「買う」だけでないのはわかります。何も買わなくてもいろいろなお店があって楽しいので、ウインドウショッピングだけでもそれなりに楽しめます。

　さらにレストランがあったり、映画館が併設されていたり、「買う」需要だけではなく、「食べる」や「見る」といった需要も同時に満たすことができるようになっています。つまりショッピングモールとは、「買う」「食べる」「見る」の複合施設なのです。だから人が集まっているといえましょう。

　そのように考えると、水族館にとってショッピングモールはどういうものでしょうか？「見る」という意味では競合かもしれませんが、「買う」「食べる」人を集客してくれて、「見る」に誘導してくれるパートナーともとらえることができそうです。

　事実、ショッピングモール内のレストランや映画館は、「買う」という需要と組み合わされることで、より多くの人が来るようになっています。**相乗効果です。**

　ですから、近くにあるショッピングモールは単純に競合とはいえないと考えます。**正確にいえばモール内の「映画館」や「ショー」が競合なのだといえます。**

　ショッピングモールのショップやレストランはむしろ増えてもらったほうがいいのかもしれません。客をたくさん集客してくれるからです。水族館からみれば逆にショッピングモールのショップと提携してお客さんをどんどん水族館につれてきてもらえる可能性もあります。

　「買う」需要と「水族館で見る」という需要は両立するし、相乗効果があるものではないかと思います。

解決策1：相乗効果をねらって、ショッピングモールと提携する。
水族館の割引チケットを配布してもらったりする単純な策が1つ。モールから、水族館の入り口までの導線を工夫して、客を引きつけやすくする策もあります。最後に思い切って、ショッピングモールのブランドを借りて、そのモールの1つの施設としての「水族館」に見えるようにネーミングやブランドを変えてしまう手が考えられます。

■水族館自体の魅力が低下した？

水族館の客が減った原因の仮説として「他の施設に客を取られた」「水族館自体の魅力が低下した」の2つについて検討しています。「他の施設に需要を取られた」については、単純に取られたというより相乗効果が見込まれるのに、そうなっていないというところです。競合は「買う」需要ではなく、「見る」需要である「映画館」「ショー」といったところなのではないかという議論でした。

となると「映画館」「ショー」に比べて「水族館」がコンテンツとしての魅力を失っていることが根本の理由で、そのためショッピングモールの集客力も活かしきれないというのが原因のようです。

では「水族館」がコンテンツとしての魅力を失う理由はどのようなものがあるでしょうか？

1つは外部要因として、時代のトレンドや顧客の嗜好が変わって水族館が古めかしい見世物になったというのが1つ。もう1つは水族館のコンテンツそのものの魅力が大きく低下した、もしくは入場料が上がったという可能です。

前者は考えづらいといえます。この水族館はここ1年で急速に客を減らしています。過去の長いあいだ定番だった水族館という施設に対する需要が1年かぎりで急速に落ちるとは考えづらいのです。

となると、やはり根本的に飼っている魚（水生生物）の魅力がなくなってきたことが原因といえそうです。ごく当たり前の結論ですが、その可能性が一番強いということです。

　急激に客が減っているということは、水族館にくる動機になるような、目玉となる魚がいなくなった、死んでしまった、もしくはその魚が飽きられた、ということが考えられそうです。どのような魚にコンテンツとしての魅力があるのか、といった分析が必要かもしれません。

　最後の入場料も検討の余地はありそうですが、値上げしたとも値下げしたとも仮定しない場合は、それほど関係なさそうです。

解決策２：飼っている魚の魅力を根本的にアップする。
　たとえば、他の最新の水族館のように巨大水槽を導入して泳いでいるマグロが見られるとか、もしくはイルカなどを飼ってショー形式で見せるといったものです。いろいろなショーアップの可能性がありそうです。

■さらなる深い議論

　結論としては、根本的に水族館のコンテンツを拡充しろというものでした。しかしこれでは視点としてあまり面白くありません。**論点を押さえたうえで、創造的な解決策を考えられないものでしょうか？**

　まずこの解決策の最大の欠点は、常にコンテンツを更新しないといけないということです。設備投資にお金もかかります。マグロがダメならイルカで、イルカがダメなら深海生物で、深海生物が飽きられたら、かわいい魚を導入……といった形で、常に大衆の注目を集めるようなコンテンツをそろえていかなくてはいけません。

もちろんそれはそれで正しいのです。「見る」というニーズに対しては、「常に面白いものを見せる」というのが王道です。これは競合として考えられる映画館やショーにおいても同じです。「見る」ニーズに対しては、映画館といえども常に面白い映画を上映し、ショーにおいても、常に面白い演目を演じ続けなくてはいけません。

しかしそれでは大変ですし、映画やショーと真っ向勝負ということになります。何とか、競争をさけて、独自のポジションを築くことはできないのでしょうか。

つまりこれがビジネスモデルの転換の発想です。つまり「見る」「見せる」以外の価値を提供することでお金を取るということです。

■ビジネスモデルを転換する

水族館や映画館、ショーなどのような「見る」「見せる」ビジネスから、どのようなビジネスモデルの転換がありえるでしょうか。

1つは**「買う」**をやってみることです。魚を売ることはできないのでしょうか。水族館を巨大な**「熱帯魚ショップ」**にしてしまったらどうでしょうか。水族館であれば何百種類という魚の在庫を持ち、飼育し続けることも可能かもしれません。水族館で魚を見て、その後「買う」ということです。

東京の埋立地にある「夢の島熱帯植物館」では、非常に小さいショップではありますが、帰りに熱帯植物が購入できました。私は、実際に植物園を「見た」ときに気に入った背の高い植物と、ウツボカズラという珍しい食虫植物を購入しました。この植物館では、**入場料はたった250円でしたが、私が購入した植物は2000円を超えました**。入場料の実に8倍ものショッピングをしているのです。

このように「買う」需要を喚起する方法は面白いといえます。ありがちな中途半端に魚のグッズを売るといったものではなく、根本

的に「買う」ということにフォーカスすることで新しい需要を切り開くのです。

　「買う」ことにフォーカスすれば、売るものも熱帯魚だけでなくてもいいかもしれません。イカやホヤなどを買って、それを「新鮮な魚介」として「食べるために買ってもらう」というのもありではないでしょうか。**つまり巨大な生簀(いけす)です。**

　太刀魚という魚はご存知でしょうか。太刀魚は、塩焼きなどにされる魚でスーパーの売り場にもよく並ぶありふれた魚です。しかしこの魚の生きているところを見たことがある人は非常に少ないといえます。なんと、文字どおりこの魚は水中で立って泳いでいるのです。ある水族館では太刀魚の展示がありました。これを食べているのかと非常に興味を持った記憶があります。

　もう1つ考えた転換は「飼う」という需要を開拓するアイデアです。「見る」でもなく「買う」でもなく**「飼う」**です。

　自分の魚を水族館で飼ってもらう。それを見に行く。もしくは、来場者皆が魚を飼う。具体的なイメージにまで落とし込めていませんが、これを思いついたのは携帯電話のゲームからです。

　携帯電話のSNS（ソーシャルネットワーキングサイト）で、コミュニティの仲間が共同で架空の生物を育てるというゲームがありました。そこからヒントを得ています。

　来場者がコミュニティをつくって、コミュニティが魚を育てる。稚魚だったものが、どんどん大きくなって、1メートルの魚になる。途中で死んでしまったり、食べられてしまったりもする。水族館を大きなゲームにしてしまうのです。

　後者のアイデアはかなり「飛び抜けてしまった」アイデアですが、ビジネスモデルを転換するという発想で考えていったところ、こう

いう発想も生まれたという事例です。施策を考える段階では、ラテラルシンキングの方法を使うと、論理的かつ面白いアイデアが出ます。

　結論をまとめます。
　水族館の客が減ったのは、水族館の魚コンテンツが陳腐化し、競合と考えられるショッピングモール内の映画館やショーといったところに比べ魅力がなくなった可能性がある。魚コンテンツの魅力を根本的に回復させて、ショッピングモールの集客力をうまく水族館に誘導すれば来場者を増やすことは可能と考える。しかし、継続的な魚コンテンツへの投資は将来的にも無理が生じる可能性がある。映画館などとの競合を避ける方法として、ビジネスモデルそのものを「見る」から「買う」や「飼う」に転換する方法が考えられる。

Q17

ある温泉地域の老舗旅館で
このところ宿泊客が減っています。
どういう原因が考えられるか
論理立てて整理をし
検証するために調べるべきことを
簡単にリストアップしてください。

旅館は熱海の温泉街にあるものとします。熱海がわからなければ、草津でも別府でも知っている他の主要な温泉街でやってみてください。

....

HINT

①この問題では、原因は○○だ、ということを求めているのではありません。原因を論理的に整理してリスト化し、どのような点を調べるべきかを調査計画風に整理してくださいということです。いわばコンサルティングのプロジェクト計画に近い計画を立ててくださいという設問です。外部要因と内部要因を分けて整理するといいでしょう。

②それぞれの原因を検証するにあたって、どういうデータが必要でしょうか？ 具体的に調べるとしたら、どこをどう調べるか、解答してください。

A17

熱海の老舗温泉旅館で、宿泊客が減っているというケースです。実際のコンサルティング案件に近いケースという気がします。対策を考える前に、まずはどういう原因で客が減っているのかを突き止める必要があります。問題文にも、まずは「どういう原因が考えられるか論理立てて整理する」とありますね。

いきなり論理立てての整理ができない人には、とりあえず思いつくものを挙げていって、その後に枠組みをつくるという方法をおすすめします。

たとえば、以下のように挙げてみます。

・食事がおいしくない

・温泉の質がわるい

・宿の設備が古い

・料金が高い

・熱海はイメージが古臭い

・不景気で温泉旅行はとりやめ

このように、少し考えるだけでもいくつかでてきます。

これらの思いつくもの（原因）に対して、そのまま対策を考えてしまうのが、論理的でない答えです。

・食事がおいしくない→食事をおいしくする

・温泉の質が悪い→温泉の質をよくする

・宿の設備が古い→宿の設備をリニューアルする

・料金が高い→料金を下げる（値引きする）

・熱海はイメージが古臭い→イメージキャンペーンを打つ

・不景気で温泉旅行はとりやめ→低料金で宿泊できることをア

ピールする

多くの人がこういう思考法にはまってしまっているのではないでしょうか。

問題文にもあるとおり、原因を整理して考えなくてはいけません。原因の羅列ではなく、原因を構造化する必要があります。何となく挙げた6つの原因を見ると、大きく分けて、外部要因、内部要因に分けられます。

食事、温泉の質、設備が古い、料金が高いというのは、その旅館特有の問題です。一方、熱海のイメージが古臭いとか、不景気といったものは、外部的な要因です。

まずはこの2つに分けられそうです。

〈外部要因〉
外部要因は、もう少し整理して考えることができます。

「不景気で温泉旅行はとりやめ」というのは、本質的には、消費自体が落ち込んでいるということです。温泉に限らず、海外旅行やテーマパークといったものも落ち込んでいるはずです。温泉だけが悪いわけではありません。レジャー消費に関わる要因が1つ考えられます。

もう1つの外部要因はレジャー間の関係です。**「古臭い」**にヒントがあります。レジャー需要は減っていなくても、「下手な温泉にいくよりも、週末はソウル」ということもあり得るかもしれません。つまり、他の代替レジャーに取って代わられている可能性です。

さらにもう1つ「熱海は古臭い」から別の可能性も考えられます。温泉地自体としての魅力が薄れ、他の温泉地に客が流れているとい

う可能性です。首都圏からですと、熱海と同じ距離には、たとえば箱根・強羅、水上、鬼怒川といった競合地域があります。これらの地域に対して「古臭い」が原因なのかどうかはわかりませんが、負けているということです。

　さらに、熱海という地域内の競争があります。熱海の他の旅館、つまり直接の競合相手に対して負けている可能性があります。

　これらの外部要因を整理しましょう。

　よりマクロな要因から順番に、以下の4段階になります。

①レジャー需要が落ち込んでいる
②代替レジャーに取って代わられている
③温泉地として他に負けている
④さらに熱海内でも他の旅館に客を取られている

　これはフェルミ推定風に捉えなおすこともできます。つまり、「熱海の温泉に来る人は何人？」というフェルミ推定です。

　日本国民1億3000万人のうち、「レジャーに行く人の割合×その中で温泉を選ぶ人の割合×その中で熱海を選ぶ人の割合×その中でその旅館を選ぶ人の割合」といった具合に推定できます。

　このあたりの論点に対して「検証するために調べるべきことをリストアップ」するとしたらどうなるでしょうか。

　これらのマクロ要因に対しては、レジャー需要の推移、全国の温泉全体の宿泊客数の推移と、熱海地域およびその温泉旅館の宿泊客数の推移を比較することでわかるでしょう。同じトレンドを示していれば、マクロ要因に引っ張られているということです。どこかでトレンドが違っていれば、その理由を探る必要があります。

　また、代替レジャーのところでは、ある程度競合が見えます。地域内に、代替レジャーとなるような施設が新しくオープンしていな

図2-17-1　外部要因を整理する

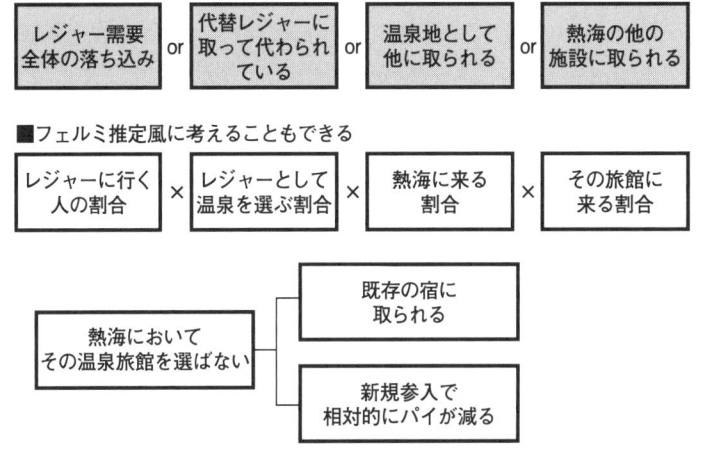

```
┌──────────┐   ┌──────────┐   ┌──────────┐   ┌──────────┐
│レジャー需要│or │代替レジャーに│or │温泉地として│or │熱海の他の  │
│全体の落ち込み│  │取って代わられ│  │他に取られる│  │施設に取られる│
│          │   │ている      │   │          │   │          │
└──────────┘   └──────────┘   └──────────┘   └──────────┘
```

■フェルミ推定風に考えることもできる

```
┌──────────┐   ┌──────────┐   ┌──────┐   ┌──────────┐
│レジャーに行く│ × │レジャーとして│ × │熱海に来る│ × │その旅館に  │
│人の割合    │   │温泉を選ぶ割合│   │割合    │   │来る割合    │
└──────────┘   └──────────┘   └──────┘   └──────────┘
```

```
┌──────────┐   ┌──────────┐
│          │──│既存の宿に  │
│熱海において│   │取られる    │
│その温泉旅館│   └──────────┘
│を選ばない  │   ┌──────────┐
│          │──│新規参入で  │
└──────────┘   │相対的にパイが減る│
              └──────────┘
```

いか？　オープンしているなら、そこの売上高の推移などを調べます。

　また、同時に自社の客について、過去の宿泊リストから、どこの地域から来ているのかを調べます。もし、地場の客が減っていないのに、遠方からの客が減っているとなると、マクロ要因が関係している可能性が高まります。

〈客に選ばれない理由〉

　次に深掘りすべきは「熱海内での競争関係」です。

　その温泉旅館が、熱海の中で客に選ばれない理由は、次の2つに分解することができます。

①温泉旅館の新規参入があり、全体のパイは同じであるものの、1施設あたりのパイが減っている。

②既存の温泉旅館に客が直接取られている。

どちらの要因が強いのかをデータを持ってきて調べます。新規施設の参入数、各旅館の設備増強などを調べて、地域の総客室数が、増えているのか減っているのかを調べます。それに伴って平均単価がどのくらいになっているのかも調べましょう。

新規参入が多く、客室がだぶつき気味で、1施設あたりのパイが減っている状況ですと、その旅館の努力だけではどうにもならないところも増えてきます。

また、そういう中でも、競合の旅館が宿泊客数を増やしているのかどうかも知りたいところです。自社同様に減っているとしたら、なかなかどうにもならないかもしれません。もし、その中でも、宿泊客数が伸びているところがあれば、施設やサービスに大きな変更があったのかどうかを探ります。

②の既存温泉旅館同士での客の奪い合いで負けているということになると、どのポイントで負けているか、詳細に調べる必要があります。

次に温泉施設の内部的な要因をリストアップして、競合とベンチマークします。

〈内部要因〉

以下のようなものが内部的な要因です。

・食事がおいしくない

・温泉の質がわるい

・宿の設備が古い

・料金が高い

熱海の地域内で他の旅館にお客を取られているのならば、その理由について詳細に調べなくてはいけません。食事や温泉の質など、

図2-17-2 内部要因を整理する

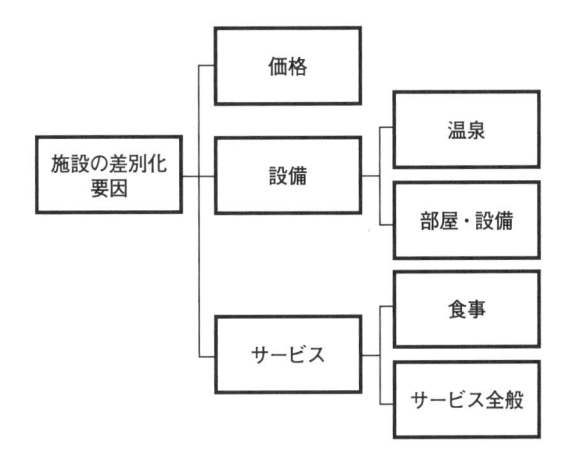

```
                    ┌─── 価格
                    │
                    │              ┌─── 温泉
施設の差別化 ───────┼─── 設備 ────┤
要因                │              └─── 部屋・設備
                    │
                    │              ┌─── 食事
                    └─── サービス ─┤
                                   └─── サービス全般
```

論点・仮説	調べたいポイント
レジャー需要全体の落ち込み	・レジャー支出を経年で調べる ・温泉ホテルの総売上高/宿泊数を経年で調べる ・自社の売上げのトレンドと比べてみる
代替レジャーに取られる	・他の余暇の過ごし方をリストアップし、強力な代替レジャーが地域内に出現していないかどうか調べる。 ・代替レジャーがあれば、その売上げの伸びを調べる
他の温泉地に流出	・他地域のホテルの総売上高/宿泊数を経年で調べる ・地域トレンド、自社のトレンドと比較する ・自社の過去客について、地域別に推移を調べる
熱海の他の宿に取られる	・新規施設の開業を調べる。地域の総客室数の推移を調べる ・競合の宿泊数の推移を調べる ・競合は特定できるので、価格・施設・サービスの3点でベンチマークしてみる

いくつか比較すべき項目があるでしょう。これをMECEにリストアップしなくてはいけません。

まずは、価格、設備、サービスの3つに大きく分かれるでしょう。設備とサービスはさらにいくつかのサブツリーに分けることができます。

これらのポイントについて、直接の競合はわかるでしょうから、ベンチマーキングをしていきます。とくに、競合がアクションを行ったポイント、たとえば価格を下げたとか、大浴場を改装したとか、客室をリニューアルしたといったポイントがないかどうかを調べます。

このように、論点を設定して、必要なデータを集め、原因として考慮すべき事柄はどれとどれなのか、どの原因が最も重要なのかを、絞り込んでいくというのが、方針となります。

Q.18

アメリカンエキスプレス (AMEX) は
カード会社間の熾烈な競争にさらされています。
競合のカードは年会費無料や
マイレージサービスなどとの提携で
攻勢をかけてきています。
AMEXは思いきって年会費を大幅に安くして、
年会費1円にすることを考えています。
これは、よいアイデアでしょうか?

AMEXの年会費は、一般的なグリーンカードで、1万2600円です。
便宜的に全世界で会費は同じとしましょう。
また、次ページの世界シェアの情報を参考にしてください。

HINT

①マーケティング論や、競合に勝つ方法などが問われているのではありません。何が問われているか、よく考えてから議論をすすめてください。
②AMEXの収益源、収益モデルをまず押さえましょう。
③AMEXの売上げを見積もることができますか?
④年会費を下げた場合の収益はどのようになるでしょうか。
⑤仮に年会費1円プランを実行したとして、現実性を検証して評価してください。1会員あたりの利用金額なども考慮に入れてMECEな議論が必要です。

A18

クレジットカードの各ブランドの発行枚数、取扱高、加盟店数などのデータは以下のようになっています。

表2-18-1　クレジットカードブランドの世界シェア

	発行枚数	取扱高	加盟店数
VISA	14億6200万枚	533兆円	2400万店
マスターカード	8億1700万枚	242兆円	2500万店
ダイナースクラブ	1億枚	非公表	2000万店
アメリカンエキスプレス	7800万枚	69兆円	非公表
JCB	5575万枚	7兆円	1350万店

出所：『世界業界地図　2008』（ローカス）

　これは有名なビジネスケースの問題で、過去に多くの戦略コンサルティング会社で出題されてきたといわれています。定番問題として取り上げました。**決して難問ではないのですが、問われていることをよく考えないと、的外れな解答をしてしまいます。**

　このケースはどのような解答が求められているのでしょうか。

　「競合カードとの強み、弱みを比較します」

　「顧客がAMEXカードをつくらない原因を考えて、対策を検討します」

　「AMEXは高所得層向けブランドに特化すべき。マーケティングキャンペーンを考えます」と多くの人が答えてしまいがちです。

　この問題が求めている答えは、そういうことではありません。

　この問題で問われていることは、年会費を1円に引き下げることで、AMEXの収益は良くなるのか悪くなるのか、どちらなのか教

えてください。そのために、シミュレーションを行ってみてください、ということなのです。

・もし年会費を下げて会員がたくさん集まるのならやるべき
・年会費を下げた分の減益を回収できないのでやるべきではない

という2択のうち、どちらなのか、結論を出すことです。

利用者の初期負担費用を安くして会員を囲い込もうというのは、携帯電話の拡販で使われていた手法です。携帯電話は1円で売られていることもあります。あとから通話料で回収できるので、とにかく安く携帯電話を配って顧客（ユーザー）を囲い込もうとしているのです。AMEXでも同じように、年会費を1円にすることで会員を増やして、そのあとの利用で投資の回収はできるのでしょうか？

その意思決定のためのシミュレーションを行うことがこの問題の求める解答です。

次の4つのステップで考えます。

・まずAMEXがどうやって儲けているのかを考えます。
・AMEXの売上げを見積もります。
・年会費を1円にした場合のシミュレーションを行います。

■AMEXはどうやって儲けているのか

まず、AMEXがどうやって儲けているのかわからなくては、これが得策なのかどうなのかわかりません。

クレジットカードの収益源は、大きく2つあります。1つは年会費、2つ目は買い物の際の手数料です。次の式になります。

カード会社の収益＝［(年会費)＋(会員1人あたり年間利用金額×加盟店手数料率)］×会員数

まずはこの式を使って、AMEXの売上げを計算してみます。必要なデータは参考情報として与えられていますので、これを使います。

■AMEXの売上げを見積もる

・年会費収入

データから、発行枚数が7800万枚です。つまり会員が7800万人いるとしましょう。これに年会費1万2600円を掛け算します。

7800万枚×1万2600円＝**9828億円（約1兆円）**

・カード利用収入

データでは、カード会員全体の年間利用額の総額が69兆円となっています。仮にカード会社の手数料が3％だったとすると、見積もりは以下のとおりです。

69兆円×3％＝**約2兆円**

■年会費を1円にした場合のシミュレーション

見積もったAMEXの収益は、年会費1兆円（33％）、手数料収入2兆円（66％）でした。

年会費が全体の33％を占めています。年会費を1円にするということは、この33％がほぼゼロになることを意味します。はたしてAMEXは年会費を1円にすることで生じる33％の減収を、手数料収入でカバーできるでしょうか。実際のデータを使って計算してみます。

①**会員を増やしてカバーできるか？**

まずは、年会費が下がったことで会員が増えると仮定しましょう。この増えた会員がカードを利用することで、どのくらいの収益増が見込めるでしょうか？

現在は7800万人の会員で2兆円の手数料収益があります。年会費をゼロ円にすることで1兆円の減益ですから、年会費の分をカバーするには、単純計算で手数料だけで3兆円の売上げが必要です。

7800万人：2兆円＝？万人：3兆円

これを計算すると答えは**1億1700万人**。3900万人増です。つまり50%の増加を見込む必要があります。これは現実的でしょうか？

現実性を判断するには、2つの観点があります。まず、会員の獲得の観点から、会費を1円にしたところで会員が増えるでしょうか？　競合他社のクレジットカードも年会費無料です。無料のカードが多いなかで、AMEXも横並びにしたところで、急激に会員が増えるとは思えません。

もう1つは、新しい会員が買い物に使う金額の問題です。取扱高をカード発行枚数で割ると、1会員あたりの利用金額が算出できます。それを算出したのが、以下です。

AMEX 　　約88万円/年
VISA 　　約36万円/年
MASTER 約30万円/年
JCB 　　　約12万円/年

AMEXの利用額年間88万円というのはダントツに高いといえま

す。高所得者層をターゲットにしているからこその数字といえましょう。

　年会費1円で新しく獲得できる層は、富裕層ではなく、大衆層だと考えられます。仮に新しく獲得できる層が、たとえばVISAと同じ36万円の年間利用しかないとすると、話の前提は大きく崩れます。

　年間88万円利用の想定で3900万人（+50%）の会員増が必要だったはずですが、これが年間36万円の会員しか獲得できないとすると、8600万人（+110%）もの増加が必要となります。この数字は会員数を2倍以上にしてくださいといっています。短期間での達成は到底不可能な数字です。

②他の方法でカバーできるか？

　会員数増加以外の方法で何か考えられないか考察してみます。

カード会社の収益＝［(年会費)＋(会員1人あたり年間利用金額×加盟店手数料率)］×会員数

　このようなビジネスモデルを考えると、動かすことができるパラメーターは残り2つです。会員1人あたり年間利用金額と加盟店手数料です。年会費の減収分を年間利用金額と加盟店手数料値上げでカバーできるでしょうか。

　まず、年会費が1円になったからといって、会員の年間の利用金額が増えるとは考えられません。年会費と利用金額の間に因果関係は見当たりません。よってこの可能性はありません。

　次に手数料を吊り上げるという方法です。

　手数料を1.5倍（4.5%）にすれば、会費の減収をカバーすること

はできます。ではこの値上げは可能でしょうか？

　加盟店としては、買い物客がたとえば2倍3倍の買い物をしてくれる保証があるならば、手数料が少し高くなったとしてもOKかもしれません。しかしこれまでの議論から会員が買い物金額を増やすということは考えられません。これでは、カード加盟店（つまりお店）は、手数料の増額を認めないでしょう。

■年会費を1円にすることは得策か

　つまり結論は「年会費を1円にすることは、得策ではない」ということです。

019

銀座の目抜き通りに面したビルで、
普通の定食屋を開こうと考えている友人がいます。
奥さんは「銀座で安い定食屋なんか
やっても儲かるはずがない」といっています。
経営コンサルタントであるあなたは、定食屋の
ビジネスをシミュレーションして収益予測を
立てることにしました。実際にやってみてください。

和定食ということにします。焼き魚、煮物、しょうが焼き
といった定番メニューを低価格で提供する町の食堂をイメージします。
カウンター席もあり、多くの人が入れるようにします。

HINT

①この問題は、マーケティング、市場環境、競争論といった戦略的なものに対する回答を求めているのではありません。定食屋の売上げを伸ばす方法について聞かれているのではありません。基本的な収益シミュレーションを示すことを求められています。

②飲食店の収益シミュレーションをするとしたら、予測の際に想定する項目はどういうものでしょうか？ 売上げ、コストの2面から考えましょう。

③項目それぞれで、どういう想定をして、数字を置きますか？

④損益分岐点を計算するにはどうすればいいでしょうか？

A19

経営コンサルタントとしてアドバイスするということですので、求められていることは「メニューはこれにしましょう、とんかつを主体にしましょう」といったことではないでしょう。その前に、飲食店というビジネスの基本要素を洗い出して、定食屋としての収益シミュレーションをして、儲かるのか儲からないのか、どういう収益構造にあるのかを明らかにすることが期待されています。

具体的には、「売上げの予測」「コストの予測」「損益分岐点の計算」の3つができればよいでしょう。

■基本要素を洗い出す

まずはシミュレーションの基本となる要素を洗い出します。

儲かるかどうかを知りたいわけですから、どのくらいのコストがかかって、どのくらいの売上げがあれば収益をあげられるかについて明らかにすべきでしょう。

そうなると、**損益分岐点を見積もる**ということになります。

簡単に損益分岐点分析の復習をしておきます。

お店の経営は、まったくお客が入らなくてもお金がかかります。料理人やアルバイトを雇えばその給与、店舗の賃借料、設備にかかるお金、それらの何もしないでも出ていってしまう費用のことを固定費といいます。

売上げがなければ、毎月固定費の部分だけ丸ごと赤字になってしまいます。固定費をカバーできるように売上げをあげていくとして、「どこまで売れれば固定費をカバーできるか?」というのが損益分

岐点の計算です。

簡単な例で解説します。

100万円の固定費が毎月かかっていたとしましょう。定食を売って（一食1000円）、これをカバーしようとするとしましょう。すると、単純計算では、100万円÷1000円で、1000食の定食を売る必要があります。ただし、定食は1000円でお客に出しても1000円まるごとが利益になるわけではありません。原材料費などがかかっており、売れば売るだけかかってくる費用があるわけです。それを変動費と呼びますが、売上げから変動費を引いた残り（これを限界利益または粗利とよびます）で、固定費をカバーしていく必要があります。

1000円の定食を1食売るといろいろ除いて500円の利益が得られるとすれば、100万円の固定費をカバーするには、100万円÷500円で、月に2000食の定食を売る必要があるということです。

■損益分岐点＝固定費÷限界利益（粗利）

という式になります。

この考え方を使って、実際にこの定食屋を想定して、見積もってみましょう。

■まずは売上げを見積もる

全体感をイメージするためにも、最初は売上げの見積もりから行います。

飲食店の売上げを見積もる際には、どのようなパラメーターを考える必要があるでしょうか？　これもフェルミ推定と同じ考え方です。「銀座の定食屋の売上げは？」という問題だと思って考えてく

ださい。

　まず、「最大にお客が入った場合どのくらい入ることができるか？」を考えます。

　どのようなパラメーターを考えればよいでしょうか。

　1つに、席数が考えられます。席数以上にお客は入りません。

　さらに営業時間が考えられます。営業時間以上にもお客は入りません。

　もう1つ必要なのが、客の滞在時間です。たとえば、客が10分で食べて帰るとすれば、1席あたり1時間に6人が来店できます。しかし1人の客が1時間ねばったとすると、1時間に1人しか来店できません。居酒屋のように2時間くらいかけて飲む店の場合は、時間あたり0.5人換算となります。これを飲食店の用語では「回転率」と呼びます。「1時間に何人のお客が入れるか？」というのが回転率です。

　席数、営業時間、回転率をすべてかけ合わせれば、最大に入ることができるお客の数がわかります。

　もう1つ、最後に、いつも満員ということはないため、これに「客席稼働率」というパラメーターを用意して掛け算することにしましょう。

　顧客数＝席数×営業時間×回転率×客席稼働率

　顧客数がわかれば、客単価を掛ければ、売上げを見積もることができます。

　売上げ＝顧客単価×顧客数

客単価は、要するに定食の値段です。一般的にいえば、大体650〜800円くらいが普通でしょうか。銀座という土地柄、定食といえども高いわけですが、ここはあえて「普通の定食屋で勝負できるのか？」ということを考えるためにも700円くらいに設定してみます。

定食の客単価：700円

　この前提で、実際にシミュレーションをやってみましょう。

①**席数**
　まずは、席数。店舗の見取り図をもとに、席とカウンターを配置していきます。定食屋なので詰めて座っていただいても大丈夫でしょう。ここでは**30席**としました。

②**営業時間**
　昼は午前11時から午後2時半、夜は午後5時から11時までとします。せっかく銀座に出すので**年中無休**で営業しましょう。

③**回転率と満席率**
　昼と夜では少し違うため、分けて考えます。昼は客がある程度さっさと食べてさっと帰るとすると、24分で1回転、つまり1時間あたり2.5回転とします。
　次に、客席稼働率ですが60％くらいと予測してみましょう。
　銀座は物価が高く、ランチで1食1200円くらいのところも珍しくありません。700円の定食は、出費を抑えたいサラリーマンの支持が得られそうです。また銀座にはおしゃれな店はあっても、普通の定食屋は少ないように思われますので、かえって競合が少ないかも

しれません。ある程度のお客さんの数は見込めるのではないかと考えます。

夜は、回転率が少し落ちて、1時間あたり2回転、客席稼働率も落ちて、50％くらいと想定しておきます。

④顧客数

昼　30席×3.5時間×2.5回転×60％＝158人

夜　30席×6時間×2回転×50％＝180人

約338人／日×30日＝**約1万人**

⑤売上げ

700円×1万人＝**700万円／月**

となりました。

■固定費を見積もる

固定費は、まったくお客が入らなくてもかかっていく費用です。

ビジネス知識として、ある程度これらの項目がすらすらと出てくるようにしておくのが望ましいといえますが、常識的に考えても推測はつきます。たとえば、あなたが生きていくために必要な費用は何でしょうか？　家賃、光熱費、食費、医療費……。それをお店に置き換えます。

まずは、家賃、光熱費、人件費、設備にかかるお金、その他細かい事務用品や電話などの費用、最後に広告費もかかります。この6項目でいきましょう。項目を自分で考えてセットする力が試されるところです。

①家賃

地図を見ると面積が9×4m＝36m²です。1坪は3.3mですので、約12坪。坪単価4万円なので、家賃が48万円です。これに共益費が坪1万円かかるとして、**合計60万円**としましょう。

②光熱費

光熱費にも2種類あります。調理などに使うガスや水道と、それ以外の店舗の照明やエアコンなどです。前者はどちらかというと定食1食あたりにかかってくる費用なので変動費とします。後者の店舗の照明などの光熱費やエアコンなどを見積もります。店舗では常時照明やエアコンをつけていますから、ざっと考えて家庭の10倍。ここでは**20万円**としましょう。

③人件費

調理人の人件費を見積もります。またレジやホールなどのアルバイトも必要です。

店舗の大きさと年中無休を考えて、料理人を4名雇用、レジやホールはアルバイトで必要な時間だけ雇うとして営業時間中は3名としました。

料理人の人件費は、さほど難しい料理をつくるわけではないので、もろもろ入れて30万円。アルバイトは、時給900円と見積もります。

料理人：30万円×4名＝120万円

アルバイト：900円×9.5時間（1日）×30日×3人＝約77万円

合計して**約200万円**です。

④設備

設備の費用も2通り考えます。1つは開店に要した費用の償却で

す。もう1つは常時使っている設備のリースや更新などとしましょう。

償却分：簡略化のために均等で償却するとしましょう。
設備投資1200万円÷10年（償却期間）＝120万円／年
月に直して10万円／月とします。
リース：償却と同様に10万円とします。
合計して**約20万円**です。

⑤通信費など

電話、インターネット、その他事務用品などです。それほどかからないでしょう。**月10万円**と見積もります。

⑥広告費

低価格な定食屋という業態から考えて、広告を打つというのはあまり考えられないと思います。タウン誌に載せたり、ビラをまいたりなどを多少するとして**月10万円**としました。

合計では**約320万円**です。

■損益分岐点を計算する

固定費は約320万円／月となりました。少々多いような気がしますが、これをカバーしなくては赤字になってしまいます。

「どのくらいの売上げがあれば、この固定費をカバーできるのか？」というのが損益分岐の計算です。

材料費はどのくらいでしょうか。基本的には定食にはあまり材料費がかかっているように思われません。30％くらいと設定しておきます。秋刀魚の塩焼き定食700円とすると、30％は210円です。秋

刀魚1本100円、ごはん50円、味噌汁その他50円、そんなものだろうと思います。

これに調理にかかる光熱費がだいたい5%の原価だとしましょう。700円であれば35円の光熱費がかかるとします。

よって、定食の原価率は35%です。儲けは残りの65%。

700円 × 65% = **455円**

1食の定食を売ると、455円の儲けが出るわけです。これを限界利益（または粗利）と呼びます。

最後は損益分岐点を計算します。

320万円の固定費を、1食あたり455円の儲けでカバーしなくてはいけません。そうすると、何食の定食を売る必要があるでしょうか？

320万円 ÷ 455円 = **約7000食／月**

月に7000食を売れば、とりあえず赤字にならないわけです。この7000食というのが損益分岐点になります。

さて、少し前に立ち戻って、想定される顧客はどのくらいと見積もっていたでしょうか？　想定では月に1万食が出るとしています。

つまり7000食が損益分岐点であるのに対して、1万食の売上げが見込めるということは、十分利益がでるといえそうです。

予想の売上げと、損益分岐点との比率を見ることで、収益性を判断することができます。今回の場合、予想1万食に対して、7000食が赤字ラインですから、比率は7割です。つまり、売上げが30％ダ

ウンしても収益トントンということになります。比率が7割くらいだととてもよいほうです。

　逆にこの比率が9割だと大変です。売上げが少し下方修正されただけで赤字になります。最悪なのは比率が10割を超えていることです。10割を超えているということは計画された売上げをあげても赤字になってしまうということです。これはつまり、事業として成り立たないといえましょう。

■ **結論**

　結論としては収益シミュレーションができればOKでしょう。つまり、**売上げ、費用、限界利益、損益分岐点、の4つの要素についてきちんとした議論ができればOK**です。

　この解答では、和定食と他の競合や参入障壁といった「競争戦略」的な話は扱いませんでしたが、コンサルタント会社の面接ではさらに突っ込んで聞かれるかもしれません。

　収益シミュレーションを示したあとの上級編として、次のような問題に取り組んでみるのもよいでしょう。

・売上げの予測はかなりざっくりしたものなので、市場や競争的な要素も入れて、予測しなおすとどうなるか？
・さらに収益性をよくするには、どこをどうすればいいと思うか？
・高級フレンチレストランと比べたらどこがどう違うか？
・定食の最適な価格はいくらくらいだと思うか？

Q20

マンホールの蓋は
なぜ丸いのでしょうか？

HINT

①「四角いと蓋が穴に落ちてしまうから」以外の回答を出して下さい。多面的にマンホールについて分析してみてください。
②マンホールのユーザーとはいったい誰でしょうか？

A20

この問題は**マイクロソフトの入社試験**に出されたということで大変有名になっている問題です。一度は聞いたことがあるのではないでしょうか？

いくつかの本でもこの問題の答えが解説されています。

模範解答としては、次のような答えが挙げられています。

「四角いと蓋が穴に落ちてしまうから」
「なぜなら正方形の対角線の長さは、$\sqrt{2}$つまり、1.414の長さがあるからである」

これは有名な問題なので、読者の中には「答えを知ってますよ！」とばかり、これを唯一の正解ととらえてしまっていて、それでこの問題はクリアできたと勘違いしてしまう人がいるかもしれません。

では、ほかの答えもいえればいいのでしょうか？

「穴に落ちてしまうから……」以外の他の模範的と呼ばれる解答例についても挙げてみましょう。次のようなものがあります。

「マンホールの蓋は、マンホールの穴の形状に合わせてつくられている。丸い穴は四角い穴より、掘るのが簡単であり、コストもかからない」
「マンホールの穴は、周囲の地面の圧力を支えなくてはいけない。四角いものより円柱のほうが圧力を分散できる」
「工事の際には、なるべく人力で、運んだりはずしたりする必要

がある。そのためには、車輪のように回転させながら移動することができる円形が有利なはずだ」

　これらの解答をすべてさらさらといえれば、模範的といえるでしょうか？　それもNOです。
　そもそもこの問題は典型的な「答えのない問題」です。その問題の模範解答を覚えて「答えがある」と考えてしまう時点で、思考が停止しています。
　答えのない問題に対する誰かの答えを暗記して、それを使って答えてしまうという行為がいかにナンセンスかを、まずは理解してほしいと思います。
　「答えのない問題」の本質は何度も繰り返しますが、問題に対してどれだけ自分の頭で考えることができるか、**自分なりの分析**をすることができるかという点です。

■自分なりの分析とは？

　では、自分なりの分析とは何をすることなのでしょうか？
　上記の4つの答えは、一見すると、答えになっているように見えますが、コンサルタント的な視点からすると、まったく答えになっていません。
　「四角いと穴に落ちてしまうから」というのは、たしかにそういう現象があるかもしれません。
　しかし、私がこの問題を議論するとしたら、こういう突っ込みをします。

　「四角いと穴に落ちてしまうから」というのが非常に重要なファクターだとするなら、どうしてそのファクターが他のファクターに

比べて重要なのか？　たとえば"圧力に耐えられる"といったファクターと比べても、穴の形を決めるもっとも重要なファクターとなっているのか？」

たとえば、「自分なりの分析」といえるのは以下のようなアプローチでしょう。

「マンホールのユーザーとはいったい誰か？　ユーザーはマンホールの形状によって誰がどの点でどのようなベネフィット（便益）を得るのか？　といった観点から分析して答える」

ではそういう方向性で、私なりの分析をしてみることにします。

■比較対象を考える

丸い蓋の競合として、四角い蓋を考えることにします。四角い蓋は、街中でたまに見かけることがあり、比較の対象としてよいでしょう。

三角の蓋もありえますが、現実的には見かけたことがないため除外します。

考える対象は、丸、四角、とします。

■ユーザーから、バリューチェーンを考える

マンホールのユーザーは誰でしょうか？

最初に考えられるのは、これを直接使う人です。つまり、マンホールを開けたり閉じたり、工事をしたり、メンテナンスをするような業者です。

次に、マンホールを製造販売する会社があります。最後は、マンホールが設置された街を使う第三者です。つまり、われわれ歩行者

や車ということになります。

　これらをつないでいくと、**バリューチェーン**のようなものが出来上がります。つまりマンホールにかかわるユーザーを、川上から川下まで表した図です。これを横軸としてみます。

　そこで、それぞれのプレイヤーが、マンホールの蓋の形状を検討するとしたら、どのような観点があるのか？　そのファクターを出してこれを縦軸にします。

　たとえば、製造業者であれば、製造コストがいちばん気になります。四角よりも丸のほうが製造コストが安いのであればそちらのほうが有利なはずです。工事業者ではどうでしょうか？　取り扱いの簡単さといった利便性が挙げられそうです。いくつかの評価ポイントがありそうです。

　これを縦横にまとめたのが、図2-20-1です。

　これを使って議論します。

　それぞれのファクター別に「どうして四角ではなく丸でなくてはいけないのか？」という問いをしていきます。その結果が先の図には、四角が有利か、丸が有利かという形で記入されています。これを評価して、どのファクターが蓋の形をきめている本質的な要因なのかを探っていくのです。1つ1つ議論しましょう。

■つくる側の観点から考える

　まずはマンホール製造業者から見た観察です。

　製造側からの最大の観点は生産コストです。生産コストは、材料と、加工に分けられます。変わるとすれば加工のところでしょうか。

　常識的には、丸形の加工や鋳造のほうが難しいように思います。さらに取り扱いも、丸形だと、ぴったり重ね合わせることができま

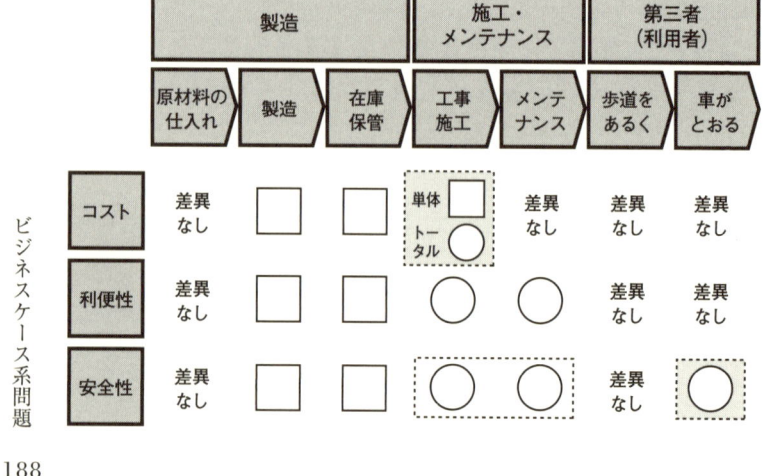

図2-20-1 マンホールに関わるバリューチェーンと、□型○型の優位比較

	製造			施工・メンテナンス		第三者（利用者）	
	原材料の仕入れ	製造	在庫保管	工事施工	メンテナンス	歩道をあるく	車がとおる
コスト	差異なし	□	□	単体 □ / トータル ○	差異なし	差異なし	差異なし
利便性	差異なし	□	□	○	○	差異なし	差異なし
安全性	差異なし	□	□	○	○	差異なし	○

せんから、在庫として積み重ねたり、トラックに積んで運んだりするときも、四角いほうが取り扱いが楽なように思います。倉庫に置く際にも四角いほうが隙間なく積むことができますし、がっちり固定もできそうで揺れません。

作る側の観点を総合すると、特に理由がないかぎり丸よりも四角のほうが有利だと推測されます。丸でないといけないという理由は1つも見当たりませんでした。

■第三者（利用者）の観点から考える

1つ飛ばして、第三者（利用者）の観点からみてみます。
第三者の観点は「安全性」が第一でしょう。
第三者からみたマンホールの安全性というのは、その上を通行す

るときに容易に外れたりしないということと考えましょう。丸いほうが圧力を分散するため、上に車が通ったとしても外れにくいと考えられます。この差は、トラックが走るような道路上ではクリティカルな差になります。巨大なトラックが走る道路上でマンホールの蓋が外れれば大事故につながります。

　一方、歩道上では、マンホールの蓋を跳ね上げることができる人間はいません。歩道上では、四角であってもかまいませんが、道路上にあるマンホールでは、問題になりえます。もし、蓋の形状によって外れやすさが大きく違うということであれば、他のファクターを差し置いて丸を選ぶクリティカルな理由になりそうです。これは検討に値します。

■施工・メンテナンス側から考える

　最後は施工・メンテナンス、つまり工事の観点から考えます。
　コスト、利便性、安全性のファクターそれぞれについて検討します。
　最初のコスト面では、おそらく製造コストは丸形の蓋のほうが高いと考えられ、直接の仕入れのコストを考えると、丸形の優位性は低いと考えられます。
　次は、利便性です。施工面でいえば、蓋に合わせた穴を開ける必要があります。ドリルなどで穴を開けるのですから、丸型の穴のほうが開けやすいといえます。特に深い穴を開ける場合は、丸形の穴が主流になるでしょう。むしろ穴が先にあって、そこに蓋の形を合わせている可能性もあります。施工業者からすると、穴を掘るコストは非常に高いと想定され、工事費のほとんどを占めると考えられます。穴に合わせて蓋をつくるほうが合理的であると考えられます。
　おそらく、深い穴は丸いと想定されます。穴がなかったところに

ドリルでくりぬくからです。一方で、浅い穴は、広めの面積を掘り起こして上から蓋をするようなイメージです。浅い穴は四角い蓋がしてあることが多いと考えられます。

メンテナンス面でどうでしょうか？

蓋の開け閉めを考えます。丸い蓋は主に閉めるときにどの方向からも閉めることができて簡単です。また転がして移動できるので、力のない作業員でも簡単でしょう。また穴に落ちないため、適当に開け閉めしても大丈夫そうです。いずれも丸が有利ですが、それほど決定的な要因ではなさそうです。

最後に安全性です。丸い蓋は落ちてこない、といえます。これも単体で見ると決定的な要因には思えません。だたし、前述の「深い穴」と組み合わせると、重要な要因であると考えられます。

ここで仮説をまとめます。

「蓋の形状を決めるのは、最もコストのかかる穴の施工に合わせてである。マンホールは、深く垂直な穴を掘るために、丸い穴が多い。丸い蓋のほうが価格が高くても穴の施工に比べれば微々たるものである。

次に、穴が深いとなると、作業員の安全性が問われる。深い穴の場合、絶対に蓋が落ちてこないようにしないといけない。浅い穴の場合は、穴の形も丸ではないし、安全性もさほど問われない。だからコストや運搬などの面で有利な四角い蓋を使う場合がむしろ多いのではないか？」

大胆な推測ですが要するに「穴の深さが蓋の形状を決めている」という仮説です。

これを検証するためには、どうすればいいでしょうか。

直接検証できればいいのですが、もっとよい方法があります。自然科学の分野で仮説の検証を行うときに有効な方法として使われている「反例を探す」というものです。
　この場合の反例は、「深い穴なのに四角の蓋が使われているケース」です。これが見つかるようであれば、仮説はNGです。もし、これがまったく見当たらない場合は、この仮説は強力なものであると考えられます。
　同じ思考法で、「蓋の外れやすさ」のほうも検討しましょう。
　「トラックが通るような道路上では外れないように丸い蓋を使う」というのが仮に正しいとすれば、反例を探すとすると「トラックが通るような道路上なのに、四角い蓋がある」ということです。

　以上のような考察から、私なりの結論を得ます。
　マンホールの蓋が丸なのか四角なのかを決める理由としては、主に次の2つが考えられます。1つ目は、「穴の深さ」〈工事業者側の施工コストと安全確保〉、2つ目は、「マンホールが道路上にあるか否か？」〈公共の安全性〉です。この2つが最も重要です。
　他の理由、たとえば、「工事の際には人力で運んだりはずしたりする必要がある。そのためには、車輪のように回転させながら移動することができる円形が有利なはずだ」といったものは付属的なベネフィットにすぎず、マンホールの形を決めている決定的な要因ではないものと考えられます。

さらに学びたい方へ

　20の問題と模範解答を読んで、だいたいわかったけれども「結局何が正解なのか？」「このとおり答えたら戦略コンサルタントの採用試験に合格できるのか？」という人がいることでしょう。
　あとがきを兼ねて、改めて皆さんにお伝えしたいことがあります。
　本書で紹介した20の問題には「正解」は存在しないということです。面接官は、皆さんがどのようなアプローチで問題を捉えて、どのように分析するか、という「頭の使い方」を観察しています。そのうえで、本質的に頭がよいと思われる人を採用しているわけです。正解のアプローチも、正解の考え方も、正解の議論も存在しません。存在するとすれば「論理的な議論」「本質を捉えた議論」「創造的な議論」です。
　同じような感想として「このような面接でのやりとりは業界の専門家から見れば幼稚な議論だ。この面接で何がわかるのか？」という人もいるでしょう。
　たしかに、本書の模範解答では、私自身も知識がない業界もあり、何らかの仮定をして、推定を重ねて議論をしています。空港関係者なら羽田空港の問題点はもっとよく知っているでしょう。メディア関係者であれば欧米の新聞社がバタバタと倒産しているトレンドについて、また外食関係者であれば定食屋や銀座の実情に詳しいでしょうし、より現実的な戦術を知っているかもしれません。
　しかし、採用面接試験においては、現実的な戦術を知っていることが評価されるわけではないのです。
　面接では、そもそも、採用候補者のバックグラウンドに合わせた

ケース問題が出るとは限りません。電機メーカー勤務の候補者に、保険業のケースが出題されることもあり、研究開発職の候補者にマーケティングのケースが出題されることもあります。

このような面接では、面接官は、候補者が何をどれだけ知っているかを評価しているわけではありません。どんな問題に直面しても、必要な情報を（面接官から聞き出すなどして）集め、客観的に物事を整理し、本質的な問題を捉えて、ハッとさせられる分析を加える力があるかどうかを観察しているのです。

自分が経験したことのない業界やテーマに関する問題が与えられても、いつでもこのような思考ができること、それがすなわち戦略コンサルタントに求められる頭のよさです。究極の「ジェネラルな問題解決思考エンジン」といってもいいかもしれません。

本書の模範解答では、その問題解決思考エンジンを実際に動かしている過程をできるだけ再現したつもりです。

本書を読んで、コンサルタント的思考法をもっと学びたいと思われた読者へ、ステップアップのための参考文献を示しておきます。

『地頭力を鍛える』（細谷功著、東洋経済新報社）

フェルミ推定に関する入門書として最適の書です。著者は、「結論から」「全体から」「単純に」という3つの視点が重要だと説き、フェルミ推定問題の解答例を示しながら、その思考法を解説しています。同じ著者の『いま、すぐはじめる地頭力』（大和書房）という続編も出ていますので、あわせて読んでみてください。

『ロジカル・シンキング』（照屋華子・岡田恵子著、東洋経済新報社）

そもそも、土台となる論理的思考力が足りていないと感じている

方には、再度ロジカルシンキングの基礎を学ぶことをお勧めします。

　この本は、基礎から書かれていてわかりやすく、簡単な演習問題をこなすうちに、ロジカルシンキングに必要なスキルを一通り学ぶことができます。So What、MECE、ロジックツリーといった基本のスキルを身につけてください。

『企業参謀』（大前研一著、プレジデント社）
　戦略思考法の元祖ともいうべき本。私はこれを学生時代に読み、こんな思考法があるのか！　と感銘を受けたものです。20年以上も前に書かれた本ですが、その内容は色あせることなく、戦略思考とは何かということの本質を突いており、今の時代だからこそ改めて読んでほしいと思うものです。『続・企業参謀』（講談社文庫）という続編も出ていますので、あわせて読んでみてください。

『問題解決プロフェッショナル』（齋藤嘉則著、ダイヤモンド社）
『問題発見プロフェッショナル』（齋藤嘉則著、ダイヤモンド社）
　本書の模範解答例では「問題解決手法」を素直な形で使いました。問題解決手法を学んで、きちんと応用できれば、どのような問題にも対応できるようになるはずです。問題解決法の基礎を学ぶには、この2冊がお勧めです。たとえば「痩せるためには？」といった問題を取り上げて、問題の分解の仕方、分析の仕方、解決策の作り方、などを明確に解説しています。

『戦略シナリオ』（齋藤嘉則著、東洋経済新報社）
　『問題解決プロフェッショナル』と同じ著者による本でほぼ同様の内容です。とてもわかりやすく書かれていますので、内容の重複するところはありますが、復習の意味で読むと、理解が深まります。

『戦略コンサルティング・ファームの面接試験』（マーク・コゼンティーノ著、辻谷一美訳、ダイヤモンド社）

　これは、外資系戦略コンサルティング・ファームの就職対策本です。原著はすでに第5版を数え、面接対策本としては定番となっている本です。ビジネスケース系の問題で、就職対策としてより実践的なものが掲載されています。実践的というのは、データを読ませたり、新規参入やM&Aといった具体的経営テーマを取り上げた問題があったりと、より就職対策に絞った内容になっています。

『観想力』（三谷宏治著、東洋経済新報社）

　元アクセンチュアの戦略グループ統括エグゼクティブパートナー、三谷宏治氏による発想法の本。物事の本質を見抜き、高い視座をもつために必要なことを平易な事例を使って説いています。「空気はなぜ透明なのか？」「イワシはなぜ高くなったのか？」といった問題に対してどう答えますか？　問題解決手法だけでは答えられません。物事の本質を考えるとはどういうことかを教えてくれる本です。

『戦略プロフェッショナル』（三枝匡著、日経ビジネス人文庫）

　こちらは、戦略コンサルタント・事業再生を題材にしたビジネス小説です。業績が落ち込んだ会社を、コンサルタントが立て直すというフィクションです。立て直す過程で、どういう戦略を立てて実行していくのか？　戦略のエッセンスが詰まったとても面白い小説です。同著者のビジネスものシリーズは、『経営パワーの危機』『V次回復の経営』と続編が出ていますので、そちらもお勧めします。

著者紹介

株式会社ティンバーラインパートナーズ代表取締役．All About「コンサルティング業界で働く」ガイド．1975年生まれ．慶應義塾大学環境情報学部卒業後，アンダーセンコンサルティング（現アクセンチュア）に入社．戦略グループのコンサルタントとして，全社戦略の立案，マーケティング，営業革新などのプロジェクトに携わる．就職支援のベンチャーの起業をへて，2004年株式会社ティンバーラインパートナーズを設立．コンサルタントへの転職ポータルサイト「コンサルタントナビ」を運営するほか，新規事業創造領域のコンサルティングを強みとする．著書に『3分でわかる ロジカル・シンキングの基本』，『よくわかるコンサルティング業界』（いずれも日本実業出版社），『地頭力が強くなる！』（中経出版）などがある．
コンサルタント就職・転職ポータル「コンサルタントナビ」
http://www.consultantnavi.com

過去問で鍛える地頭力

2009年7月9日　第1刷発行
2018年8月7日　第13刷発行

著　者　大石哲之（おおいしてつゆき）
発行者　駒橋憲一

発行所　〒103-8345　東京都中央区日本橋本石町1-2-1　東洋経済新報社
　　　　電話　東洋経済コールセンター03(5605)7021

印刷・製本　東港出版印刷

本書のコピー，スキャン，デジタル化等の無断複製は，著作権法上での例外である私的利用を除き禁じられています．本書を代行業者等の第三者に依頼してコピー，スキャンやデジタル化することは，たとえ個人や家庭内での利用であっても一切認められておりません．
Ⓒ 2009〈検印省略〉落丁・乱丁本はお取替えいたします．
Printed in Japan　ISBN 978-4-492-55647-4　https://toyokeizai.net/